C'est lorsque certains
chasseurs-cueilleurs commencèrent à se
sédentariser qu'apparurent des inégalités,
des stratifications hiérarchiques et
les transmissions héréditaires de richesse.

Matthieu Ricard   in
Plaidoyer pour l'altruisme
p. 480

Pourquoi les riches
ont gagné

Du même auteur

Aimer (quand même) le XXIᵉ siècle
Albin Michel, 2012

Trop vite !
Albin Michel, 2010

Une vie en plus
(avec Joël de Rosnay et François de Closets)
Le Seuil, 2005

Vivre content
Albin Michel et Livre de poche, 2002

Le Nouvel Art du temps
Albin Michel et Livre de poche, 2000

Le Métier de patron
Fayard, 1990

Le Retour du courage
Fayard, 1986
rééd. Albin Michel, 1992

L'Art du temps
Fayard, 1983

Questionnaire pour demain
Ramsay, 1977

À mi-vie
Stock, 1977

L'Entreprise à visage humain
Robert Laffont, 1973

Le Pouvoir d'informer
Robert Laffont, 1972

Jean-Louis Servan-Schreiber

Pourquoi les riches ont gagné

Albin Michel

Toute la documentation de ce livre est accessible
sur le site www.lesriches.fr,
sur lequel les lecteurs peuvent envoyer leurs commentaires.

À mes petits-enfants,
qui vont vivre ce monde-là

Remerciements

Merci à Marc Jezegabel et Pascal de Rauglaudre, qui m'ont aidé à nourrir, documenter et discuter le contenu de ce livre.

Merci à Marc de Smedt de ses réactions et conseils.

« La guerre des classes existe toujours, mais c'est nous, les riches, qui la menons. Et nous la gagnons. »

Warren Buffett

Sommaire

Introduction

La planète des millionnaires

Les riches ont gagné… toute la planète. Certes, il y eut des riches de tout temps, mais ils étaient une poignée, le plus souvent des rois et des aristocrates, émergeant d'un océan de pauvreté. À partir de la fin du Moyen Âge, des marchands ou des banquiers, beaucoup plus tard des industriels, ont bâti des fortunes roturières. Au cours des deux derniers siècles, les riches, nés de la modernité, se sont multipliés dans les pays industriels, donc occidentaux. Mais désormais, la croissance s'intensifie partout, la richesse en résulte. Pourquoi en est-il ainsi ? Est-ce naturel, inévitable ? C'est l'objet de ce livre.

Avant de quitter la grande histoire pour notre présent foisonnant, amusons-nous en constatant que les hommes les plus riches d'entre tous n'étaient ni d'ici ni de maintenant. Une étude, peut-être plus poétique que scientifique, du *Celebrity Network* désigne comme le plus riche des riches… un Africain du XIVe siècle. Mansa Moussa, roi du Mali, avait bâti sa fortune sur l'or.

Il aurait fait son pèlerinage à La Mecque entouré de milliers d'esclaves et de quatre-vingts dromadaires chargés d'or. Généreux, il construisait, sur son parcours, une mosquée tous les vendredis. Il serait à l'origine de l'apogée de Tombouctou. Sa fortune a été estimée, autant que faire se peut, à 400 milliards de nos dollars.

Dans les vingt-cinq plus grosses fortunes de l'histoire, on trouve des noms comme les Rothschild, les Rockefeller, les Romanov, Guillaume le Conquérant, Henry Ford et Mouammar Kadhafi. Dans cet ensemble hétéroclite, quatorze sont américains ; seuls trois sont encore vivants : Bill Gates, Carlos Slim, le Mexicain, et Warren Buffett. Leurs fortunes respectives varient, selon les années et les cours boursiers, entre 60 et 70 milliards de dollars.

La nouveauté, désormais, est qu'il y a des riches partout et qu'ils se multiplient. Si l'on s'en tient aux seuls millionnaires en dollars, leur nombre total est déjà équivalent à la population de la Belgique (12 millions). Cela peut paraître considérable, mais ils ne représentent ainsi que 0,2 % de la population mondiale.

Deux questions se posent d'emblée : comment détermine-t-on qui est riche ? Ne faut-il retenir que les « millionnaires » ? Ces interrogations reviendront au long de ces pages, car la notion de richesse dépend d'abord du milieu, des pays dans lesquels vivent les riches. L'idée que l'on s'en fait aux États-Unis ou en France n'a rien à voir avec celle qui prévaut en Éthiopie ou au Cambodge. Le plus difficile, pour établir des comparaisons, est de disposer de méthodes et de valeurs cohérentes entre elles.

Retenons, pour une vision mondiale d'ensemble, les critères du *World Wealth Report* 2013, l'étude réalisée par Capgemini. Leur étalon, comme seuil de la vraie richesse : le million de dollars (725 000 euros), ce qui vise un peu haut, mais a l'avantage de la simplicité. Pour une évaluation plus juste de ces fortunes, l'étude exclut du calcul la résidence principale, pour deux raisons. La montée des prix de l'immobilier, disparate selon les régions, fait qu'un petit exploitant agricole, vivant chichement de son activité à Megève ou Deauville, peut être classé, contre son gré d'ailleurs, comme millionnaire. Et le fait d'habiter une demeure cossue, souvent héritée, ne comporte aucune garantie d'opulence matérielle, à moins de la vendre.

Donc, selon ce rapport, 12 millions de millionnaires prospèrent sur la planète. À l'intérieur de ce peloton de tête, des écarts considérables. Plus précisément de 1 à 60 000, soit le gap entre un chirurgien parisien réputé et l'un des trois milliardaires vivants que l'on vient de citer. Il y a donc de petits riches, de vrais riches et des hyper-riches. On arrive à peu près à les dénombrer.

Le *World Wealth Report* appelle familièrement ceux qui possèdent entre 1 et 5 millions de dollars les « *millionnaires next door* ». Dans nos pays développés, chacun peut en croiser dans son quartier. Ils sont un peu plus de 400 000 en France, mais 3,5 millions aux États-Unis et 1,3 million en Allemagne. Mais « seulement » autour de

150 000 au Brésil ou en Corée du Sud, qui font pourtant déjà partie des pays les plus prospères. Ces « simples » millionnaires et leurs familles ne représentent que 0,9 % des Français. Mais dans la cohorte mondiale des riches, ils sont la plèbe : 90 %.

En franchissant un degré de plus sur l'échelle, on rencontre ceux qui détiennent entre 5 et 30 millions de dollars. Ils ne sont que 1 million sur la planète et représentent moins du dixième des millionnaires. Ils ont les moyens de vivre sans compter, de faire prospérer l'industrie du luxe, de créer ou d'acheter des entreprises (de taille moyenne), d'offrir à leurs enfants les meilleures études, avant d'en faire des héritiers nantis.

Au-dessus de ce peloton, l'air se raréfie. Les hyper-riches, entre 30 millions et 60 milliards de dollars, ne sont que 111 000 dans le monde, soit 0,01 % des riches, mais à eux seuls, ils possèdent le tiers de la fortune totale de ces derniers. En France, par exemple, ils sont répertoriés par des classements nominatifs annuels, la référence étant celui du magazine *Challenges*, « Les 500 plus grosses fortunes ». Grâce à internet, leur liste nominative établie avec précision est accessible depuis n'importe quel smartphone.

Ces classements donnent des repères, mais sont par nature incomplets. Car ils mesurent ce qui est accessible : les fortunes d'actionnaires d'entreprises cotées ou évaluées. On reste donc dans le monde du business. Mais la petite-fille, inactive, d'un bourgeois du début du XXe siècle qui avait pu acheter trois immeubles à Paris ne ferait pas moins, elle aussi, mais plus discrètement, partie du club des hyper-riches.

Déjà apparaissent deux différences notables entre les riches d'aujourd'hui et ceux d'il y a un siècle : la plupart travaillent et peuvent être identifiés avec précision. Le cliché selon lequel les riches seraient d'oisifs sybarites partageant leur temps entre la chasse, le sport, la plage et les soirées au casino date d'un autre âge. L'époque actuelle offre de nombreuses occasions de faire fortune, mais il faut avoir du génie, du talent ou une volonté farouche d'y parvenir. Dans le temps, on appelait les riches récents des parvenus. Le mot serait aujourd'hui encore plus vrai que naguère.

Le xxᵉ siècle a démultiplié la richesse

Au xxıᵉ siècle se manifeste, avec évidence, une mondialisation des riches qui découle logiquement de celle de l'économie planétaire. Pour deux raisons essentielles.

La plus palpable est le démultiplicateur de richesses qu'est la financiarisation de l'économie globale. La vélocité de la spéculation et l'importance des gains qui y sont liés, pour ceux qui savent la pratiquer ou l'orchestrer, sont des intensificateurs de créations de fortunes.

Et la plus spectaculaire, à l'orée de ce siècle, l'irruption de l'économie numérique, a permis des réussites éclairs, créé des bulles spéculatives et engendré de nouveaux géants planétaires.

17

La richesse mondiale progresse par bonds : chaque innovation technologique remodèle la société. Depuis cent cinquante ans, successivement les mines, les chemins de fer, l'automobile et donc le pétrole, la chimie, l'électronique, les produits de consommation, l'aviation, la grande distribution, la finance et enfin internet ont fait naître dans leur sillage des *success stories* qui se chiffraient pour certaines en millions, voire en milliards de dollars.

S'y ajoute désormais un séisme géostratégique historique : l'ouverture, en quelques années, à la fin du siècle dernier, du glacis communiste au capitalisme. Les modalités ont été différentes entre le bloc de l'Est et la Chine, nominalement encore communiste, mais l'effet économique est comparable. Cette autre moitié du monde, déjà éduquée et avide d'un progrès matériel trop longtemps attendu, s'est ruée dans la course à la prospérité. Les résultats ont été explosifs, un embrasement de richesses que personne n'avait anticipé.

La croissance rapide de ces pays en développement implique un fort besoin d'investissements et d'équipements, et se traduit par une progression de leurs PIB et une multiplication de leurs riches.

Une des caractéristiques clés de cette fabrication des fortunes individuelles est que leur nombre et leurs biens progressent plus vite que l'économie générale. Ces dernières années, la croissance de nos pays développés a fortement ralenti sous l'effet de la crise. Pour autant, celle des patrimoines élevés continue à tourner autour de 6 % par an. Et même de 13 % dans le nouveau

Nouveau Monde (Asie sans le Japon, Russie, Amérique latine). La cohorte mondiale des riches pendant la seule année 2012 a crû, en pourcentage, de 9 %, un taux qui laisse le gros des populations loin derrière.

Dès que l'on veut se faire une idée du poids mondial des riches, les nombres, comme les distances des étoiles dans l'Univers, dépassent l'entendement ordinaire.

On se rend alors compte que le poids des riches exprimé en dollars dans les grandes zones économiques est assez comparable. Il se chiffre en trillions : un milliard de milliards. Environ 12 trillions pour l'Amérique du Nord, idem pour l'Asie-Pacifique (Japon compris, bien sûr) et 11 trillions pour l'Europe. L'Amérique latine atteint 7,5 trillions. Malgré l'extrême richesse de certains rois du pétrole, le Moyen-Orient ne pèse pas lourd, 2 trillions, ni encore l'Afrique, 1,4 trillion.

En dépit de ses difficultés économiques et de la paresse préoccupante de son taux de croissance, l'Europe, comme les États-Unis, reste une des régions les plus riches du monde, tant les fortunes y sont anciennes. Avec cinq fois moins d'habitants, elle pèse presque autant que l'ensemble Asie-Pacifique. Notre croissance se languit peut-être, mais sur un épais matelas.

La France reste encore le sixième pays le plus riche, loin devant l'Inde et la Russie.

Certes, le nombre de millionnaires chinois, un million, est impressionnant, puisqu'il s'est constitué en une trentaine d'années seulement. Mais il reste sensiblement inférieur à celui de l'Allemagne, dont la population ne représente que 7 % de celle de l'empire du

Milieu. La concentration de richesse dans ce dernier n'en est pas moins impressionnante, puisque lesdits millionnaires, 0,05 % du total des Chinois, contrôlent 40 % de la richesse possédée dans ce pays.

À ce stade, les chiffres se mettent à tourner dans nos têtes au point qu'il devient difficile d'en tirer des significations utiles. On peut quand même en retenir quelques idées simples.

Même si la planète des riches grandit de manière impressionnante, elle est et restera toujours démographiquement minuscule. Mais son poids financier nourrit déjà des pans entiers de l'économie : industries du luxe, activités financières et bancaires, capacités d'investissement dans les secteurs d'activité nouveaux, marché de l'art, immobilier haut de gamme.

Plus important encore, le taux de croissance en nombre et en poids des riches caracole loin devant celui des PIB des pays où ces derniers habitent.

Reste à évaluer la place et l'influence des riches dans leurs sociétés qui, à 99,5 %, vivent dans un tout autre univers. Car pour pouvoir profiter sereinement de sa richesse, il importe que ceux au milieu desquels on vit vous admettent et vous supportent.

L'enquête réalisée pour ce livre fait apparaître qu'à cet égard, pour l'instant, les riches n'ont pas trop de soucis à se faire. Cela ne se crie pas sur les toits, mais tout se passe comme si les riches avaient gagné, financièrement bien sûr, mais aussi politiquement et presque idéologiquement.

D'où ce livre, qui ne défend pas de politique et ne soutient pas de doctrine, mais qui tente une visite cursive d'un effet notoire de la nouvelle modernité. Journaliste ayant passé trente ans dans la presse économique, j'observe la montée des riches comme symptôme de notre époque. N'est-il pas à la jonction des deux valeurs reines en ce siècle, l'argent et l'individualisme, lesquels sont faits pour s'entendre, l'un au service de l'autre ?

On dirait qu'en ce début de siècle, le Veau d'or est revenu.

1

Les nouveaux riches

On en sait plus sur les pauvres que sur les riches. Les pauvres sont plus nombreux et vivent, de par le monde, des contraintes identiques : avoir un revenu, un logement, de quoi se nourrir, quelques équipements de loisirs, et être soignés. Déjà, sur ces bases vitales, les différences dans chaque pays et entre nations sont considérables. On peut être pauvre aux États-Unis bien que propriétaire de sa maison (à crédit), de sa voiture, de ses télés. On peut faire partie de la classe moyenne dans un bidonville marocain en tant que patron d'un atelier de réparation de deux roues. Et se trouver parmi les 10 % les plus aisés en Éthiopie, avec 1 000 euros annuels.

La pauvreté a ses normes, ses statistiques, son historique. Elle commence, selon les critères européens, au-dessous de 60 % du revenu médian du pays. Lequel tourne en France autour de 1 650 euros mensuels. On peut ainsi recenser, en Europe, de 12 à 16 % de pauvres selon les pays, 14,5 % en France.

Mais dans nos régions développées, pauvreté n'est pas misère. Des garde-fous sociaux peuvent éviter d'être totalement dépourvu de ressources.

Le RSA en France approche de 500 euros par mois, soit le tiers du Smic ; si l'on y ajoute une couverture maladie et des allocations supplémentaires, pour le logement et par enfant, on ne meurt pas de faim, mais on est, entre autres, privé de vrais soins dentaires et de nourriture saine. Les pauvres sont scrutés par les statistiques, que tous les gouvernements se doivent de suivre de près. Ces derniers savent qu'une pauvreté qui ne dépasse pas 15 % de la population, pour dramatique qu'elle soit individuellement, n'est pas politiquement explosive.

Le paramètre sur lequel, en revanche, tous ont les yeux braqués est le niveau de chômage. Pourtant, on sort plus souvent du chômage que de la pauvreté. Et tous les chômeurs ne sont pas pauvres. Alors que, du fait du travail à temps partiel, on compte de plus en plus de travailleurs pauvres. Ils sont autour de 2 millions en France sur un total de 8 millions de pauvres.

Qu'ils soient chômeurs, travailleurs pauvres, bénéficiaires du RSA, ou SDF, les plus défavorisés d'entre nous suscitent tantôt des discours politiques, tantôt la compassion, tantôt la générosité en argent ou en actes, tantôt aussi un peu de mauvaise conscience. Mais le plus souvent une certaine indifférence des 85 % de ceux qui, par mérite ou par chance, n'en font pas partie.

Mais, sur les riches, on en sait beaucoup moins (ce n'est qu'en 2010 que l'Insee a publié sa première enquête sur les hauts revenus), ce qui n'empêche pas d'en parler beaucoup.

«Riche» est un mot-valise. Sous ce même vocable, bien flou, on trouve en France les salariés à partir de 4 500 euros par mois (3 % de la population) jusqu'aux 20 milliards de patrimoine de Bernard Arnault qui, pour être le Français le plus riche, n'est «que» la dixième fortune du monde. Entre les pauvres, les écarts vont au maximum de 1 à 3. Entre les riches, ils peuvent atteindre 1 à 1 000. Paradoxalement, les riches sont aussi visibles que mal connus.

Il reste qu'en France, un pays parmi les plus habitables socialement, 97 % des citoyens ne sont pas classés comme riches. Compte tenu des 14 % de pauvres, 83 % des Français ne sont donc ni riches ni pauvres. Mais les chiffres ne disent évidemment rien sur le ressenti, le vécu des individus. Ils n'empêchent pas aujourd'hui 40 % des Français de se considérer en risque de pauvreté. Tandis qu'une bonne part de ceux qui gagnent plus de 4 500 euros par mois, ou sont même assujettis à l'ISF du fait de la valeur de leur logement, nieraient farouchement être riches.

À notre époque, ce sont les médias qui s'expriment, pas les chiffres. Dans ce domaine, bruit et visibilité déterminent les sujets de conversation, les soucis des dirigeants, les humeurs des électeurs, donc les sondages d'opinion, qui eux-mêmes relancent le buzz médiatique. Parle-t-on des pauvres? Fort peu, sauf à travers de dramatiques faits divers ou des manifestations, plutôt rares, de solidarité. Les 83 % «ni riches ni pauvres » sont encore moins visibles. On ne s'adresse à eux qu'à l'approche des élections, car, majoritaires, ils disposent au moins du pouvoir de consacrer ou de chasser nos dirigeants.

En revanche, les riches occupent aisément l'espace médiatique. Il n'est question que d'eux dans les magazines people, la presse sportive ou féminine, les récits des succès d'entrepreneurs. Les revues de décoration rutilent de leurs villas d'été et de leurs chalets d'hiver.

Les riches alimentent la chronique des divorces mirobolants, des avant-premières, des présentations de collections de mode, ou des galas huppés. Sans oublier les gros titres, quasi quotidiens, sur les dopages sportifs, licenciements dits « boursiers », rémunérations outrancières, procès qui brassent des millions en dommages et intérêts, émigration des fortunes, fraudes fiscales et financements occultes des milieux politiques. Tout cela se passe entre riches.

Les riches donnent à voir et à rêver par les récits de leurs amours, de leurs aventures comme de leurs lobbyings politiques, rarement orientés à gauche. Les riches sont propriétaires des médias, même de ceux qui les critiquent, comme *Libération*, *Le Nouvel Observateur*, ou *Le Monde*.

Ainsi en est-il en France, mais la situation n'est guère différente ailleurs. Il n'y a aucun pays où les riches ne tiennent pas le haut du pavé, y compris désormais dans ceux qui arborent encore le drapeau rouge et conservent une rhétorique vaguement marxiste, comme la Chine et le Vietnam. Les riches ont conquis le pouvoir, car la conquête de celui-ci se fait partout grâce à l'argent et, heureusement, presque plus par les armes, sauf en Afrique et au Moyen-Orient. Et dans les pays en développement, aux principes démocratiques encore balbutiants, on devient riche surtout parce que, une fois au pouvoir, on en profite pour se servir en priorité.

Rien de nouveau sous le soleil, penserez-vous à juste titre. Sous des formes étonnamment diverses, selon les époques, les religions, les degrés de culture, les valeurs ou les technologies, les riches occupent ou influencent le sommet de la pyramide sociale, politique, culturelle et, bien entendu, économique.

Les riches, c'est la queue qui remue le chien

Quelles que soient les transformations, les guerres, les révolutions, il se recrée en surface une couche de riches. Comme dans la vinaigrette, quelles que soient les secousses, l'huile finit par remonter. Dans une société, les riches, c'est la queue qui remue le chien.

Mais ce ne sont pas toujours les mêmes. Dans le monde actuel, la plupart des privilégiés de l'argent sont des nouveaux riches. La croissance effrénée depuis un siècle a, comme en Russie, démultiplié les riches. C'est manifeste dans les pays en développement, surtout dans les anciennes dictatures où l'on se distribue les prébendes. Création rapide d'une classe d'entrepreneurs donc, dès que les règles du libéralisme s'imposent partout. Nouvelles technologies qui créent les jeunes millionnaires ou fortunes récentes des financiers, des vedettes en tout genre ou des patrons sur-payés.

Jusqu'à la Révolution industrielle, donc à la fin du XVIIIe siècle, la richesse était stable et se transmettait d'une génération à l'autre. Elle venait essentiellement de la possession du sol, donc de l'agriculture, et des privilèges octroyés par le pouvoir royal. Mais déjà s'y ajoutaient les banquiers et marchands dont, depuis l'Antiquité, les rois ont eu besoin pour financer les guerres, l'un des deux moyens d'agrandir les territoires sur lesquels ils régnaient, l'autre étant les mariages.

Quand, il n'y a guère plus de deux siècles, les machines ont fait irruption dans la vie humaine, la possibilité de produire en masse (textiles, métallurgie, armement) et de transporter voyageurs et produits a fait surgir une nouvelle catégorie de riches, rapidement plus puissants et plus habiles que les grands propriétaires héréditaires : celle des industriels. Avec eux apparaît le système capitaliste.

Mais ce dernier, comme l'a souligné Schumpeter, repose sur un mouvement constant de destruction créatrice. Chaque nouvelle industrie a suscité de nombreux entrepreneurs, puis, chaque fois, la course à la taille a éliminé les plus faibles, ne laissant survivre qu'une poignée d'entre eux. De la production d'acier, reine du XIXe siècle, aux technologies numériques du XXIe, le processus n'a jamais varié. De nouveaux riches naissent donc constamment pendant que d'autres disparaissent, non sans quelques beaux restes dans l'immobilier ou en portefeuilles d'actions pour adoucir leurs vieux jours et nantir leurs héritiers.

Cette sélection naturelle des riches ainsi que le laminage de nombre de fortunes, au cours du XXᵉ siècle, sont également les conséquences des deux guerres mondiales, des crises, des inflations (souvent après les conflits), des révolutions égalitaristes (du moins dans leurs principes). Elles résultent aussi, plus modérément, des politiques sociales-démocrates de redistribution par l'impôt, en particulier à partir de la fin de la Seconde Guerre mondiale. Ainsi l'héritage des riches passe, mais la richesse subsiste, comme une des composantes de ce système libéral qui a fini par gagner toute la planète. Que les riches soient, selon les uns le ferment, selon les autres les scories du système, ne change guère les processus. Depuis le début de notre siècle, l'enrichissement de quelques-uns s'est seulement accéléré.

Depuis la Libération, en France, la création des nouveaux riches s'est faite au gré des moteurs de croissance du PIB. D'abord la reconstruction immobilière et industrielle d'un pays partiellement détruit ou pillé. Puis et surtout la frénésie d'équipement et de consommation qui a saisi les Français, lesquels n'avaient d'yeux que pour le niveau de vie américain : voitures, appareils ménagers, téléphones, vêtements de marque, hamburgers. Les rêves de consommation ont donc fait surgir ces cathédrales de la prospérité matérielle : les hypermarchés, eux-mêmes à l'origine de solides et encore durables fortunes familiales (Leclerc, Carrefour, Casino, etc.). Parallèlement, l'équipement du pays en autoroutes ou logements sociaux a entraîné sa vague de grandes fortunes (Bouygues, Vinci...).

L'impulsion économique, pour répondre à ces aspirations, y compris celle d'être mieux soigné grâce aux géants pharmaceutiques, a nourri la croissance historique des Trente Glorieuses, au moins jusqu'aux années 80. Le chômage était marginal et les niveaux de vie progressaient allégrement.

Mais, une fois ces besoins de base satisfaits, les profits des industries traditionnelles ont fléchi. D'autant que, dans les vingt dernières années du siècle, la mondialisation a rendu, en Europe, les industries de main-d'œuvre moins compétitives et que les chocs pétroliers des années 70 ont renchéri le coût de l'énergie. Le meilleur terreau pour s'enrichir ne se situait donc plus en Europe. La financiarisation du monde puis les nouvelles technologies et, récemment, le luxe, ont pris le relais de la soif de profits.

Chaque changement crée de la richesse

Ainsi naissent les riches dans le sillage de chaque changement créateur, légal ou non. Car l'industrie du crime, de la drogue ou de la corruption crée aussi ses riches, tant que ces derniers échappent à la justice. On peut devenir riche par initiative, invention, audace, mais aussi par astuce, cynisme et absence de scrupules. Il y a des riches vertueux mus par une éthique du travail, de la réussite, comme un Warren Buffett, qui roule dans sa vieille voiture, ou un Bill Gates, qui emploie ses milliards à soigner l'Afrique. Tous deux sont à l'origine d'un mouvement de milliardaires prêts à donner la moitié de leurs fortunes à la philanthropie. Mais d'autres n'inventent rien, sinon l'art d'exploiter leurs semblables : dealers, proxénètes, racketteurs, ou financiers véreux à la Madoff.

Qu'ils soient éclaireurs de progrès ou parasites sociaux, les riches ont des parcours individuels. Mais à l'époque du capitalisme mondial, ils sont vite relayés par des systèmes plus anonymes, qui brassent des sommes bien plus considérables. Aux XIXe et XXe siècles, les familles parvenaient souvent à se transmettre la direction de l'entreprise ou de la banque durant plusieurs générations. C'est de moins en moins le cas. Une fois que les entrepreneurs ont fait leur pelote, ils veulent passer à autre chose. Ainsi un Marc Simoncini, qui a su tirer profit du désir éternel de rencontrer des membres du sexe opposé, ou complémentaire. En le combinant avec le potentiel d'internet, il a créé Meetic, en a fait une réussite spectaculaire puis l'a revendu après neuf ans pour investir ailleurs. Une grosse société américaine poursuivra donc, mais peut-être moins vite, l'exploitation de Meetic. Ne serait-ce qu'en France, bien d'autres (Jacques-Antoine Granjon, Pierre Kosciusko-

Morizet, Charles Beigbeder, etc.) ont eu le même parcours, rapide.

Investir dans un marché mondial requiert de tels capitaux qu'un individu peut rarement suivre. Généralement, il a recours à la Bourse, à des partenaires ou préfère sortir du jeu après avoir encaissé ses gains. Ainsi se crée une classe de nouveaux rentiers, elle-même en évolution permanente. Comme l'expliquait un grand capitaine d'industrie à ses héritiers : « Vous avez assez d'argent pour ne pas avoir besoin de gagner votre vie, mais pas suffisamment pour être des acteurs économiques conséquents. »

Retraités ou héritiers, les riches, quand ils ne sont plus entrepreneurs ou *business angels*, intéressent alors surtout l'administration fiscale.

Mais pas seulement. Quand on a de l'argent, il faut s'en occuper, sinon la fortune se délite vite. Le temps des louis d'or sous le matelas était celui des sociétés rurales et statiques. Dans le grand maelström actuel, il faut sans cesse jardiner son argent avec l'aide de professionnels : banquiers ou gestionnaires de patrimoines. Or, où placent-ils les fonds de leurs clients ? D'une manière ou d'une autre, ils les remettent dans le circuit économique à travers des actions, des obligations, des prises de participation. Même si vous ne voulez plus travailler, il faut que votre argent, lui, continue à le faire.

C'est pourquoi il ne faut pas exagérer le pouvoir des individus riches dans ce système mondialisé, qui brasse des capitaux d'une tout autre ampleur que ceux de fortunes personnelles, fussent-elles immenses. Le premier à l'avoir compris, il y a presque un demi-siècle, fut l'économiste J. K. Galbraith dans son *Nouvel État industriel.* Il y annonçait que les vraies puissances financières, propriétaires des grandes industries, n'étaient plus les individus mais les fonds de pension, collecteurs des cotisations des futurs retraités américains. Le pouvoir passait ainsi des entrepreneurs aux technocrates, les managers nommés par ces fonds actionnaires.

En Europe, où les retraites sont gérées autrement, les organismes détenteurs de l'argent des petits porteurs se sont également développés au point d'incarner le pouvoir économique. Exemple récent : deux fonds, Colony Capital et Eurazéo, détiennent ensemble le pouvoir actionnarial dans les chaînes d'hôtellerie Accor. En avril 2013, ils décident de remplacer le patron de ce groupe, Denis Hennequin, parce que sa gestion n'obtenait pas le rendement financier attendu par ces deux fonds. Indemnisé, Hennequin n'en fera pas moins, fiscalement, partie des riches. Mais il ne détenait qu'un pouvoir délégué par d'autres technocrates, ceux qui dirigent les fonds actionnaires d'Accor. Et c'est le patron du même fond Colony Capital, Sébastien Bazin, qui finit, en août 2013, par prendre la barre d'Accor pour tenter d'en optimiser encore plus la valeur. Tout cela se passe, ne l'oublions pas, entre assujettis à l'ISF. Mais leur pouvoir n'est que relatif, donc éphémère. Ce genre de secousses autour du pouvoir dans les grandes firmes est devenu banal. La vie des riches est mouvementée, mais ils ont plus d'amortisseurs, de parachutes et d'airbags que les autres.

Les millionnaires du talent

La richesse actuelle, plus individuelle et plus fugace, s'épanouit dans une catégorie de nouveaux riches en net progrès au XXIe siècle, champions de tous métiers ou artistes qui construisent souvent leur fortune en quelques années. C'est évidemment le cas des sportifs d'exception, qui accumulent vite les millions, tant que leur condition physique le leur permet.

Ainsi, en un an, Federer a gagné 47 millions d'euros et Nadal, 31 millions. Gains sportifs ou promotionnels. Les fortunes de Lionel Messi et David Beckham sont évaluées respectivement à 130 et 200 millions d'euros. Quant à Michael Schumacher, on estime son patrimoine à plus de 600 millions d'euros.

Les vedettes de cinéma ou de la chanson peuvent maintenir plus longtemps leur capacité de gains, quelquefois un demi-siècle, comme Aznavour, Michel Sardou ou Johnny Hallyday. Ils font souvent vivre une vraie entreprise autour d'eux, du fait de leurs tournées. Tout comme les grands acteurs dits « bankables », comme Depardieu ou Deneuve en France, Kidman ou Di Caprio aux États-Unis, assurent, par leur seul nom au générique, la promotion d'un film. Chez les chanteurs, artistes mondiaux, les sommes grimpent : Paul McCartney aurait une fortune de 800 millions de dollars. Elton John de 320, David Bowie de 215.

On peut encore devenir riche en écrivant de simples

romans : les Marc Levy, Amélie Nothomb, Guillaume Musso ou Jean-Christophe Grangé en attestent, surtout quand leurs livres deviennent des scénarios de films. De même que l'on s'arrache les vrais créateurs de mode, comme Marc Jacobs, Hedi Slimane ou Raf Simons. Le plus prolifique d'entre eux, qui a su se transformer lui-même en entreprise, est, bien sûr, Karl Lagerfeld. Ce sont les mercenaires du luxe qui louent leur talent à de grandes marques le temps de quelques collections et peuvent faire l'objet de transferts coûteux, comme les footballeurs.

Un designer, un architecte, un peintre ou un sculpteur gagnent des sommes d'autant plus folles que leur notoriété est relayée, très vite et partout, par le système médiatique et un marketing planétaire. Tadao Ando, Jean Nouvel, Frank Gehry construisent dans tous les pays des tours, des centres commerciaux, des musées de plus en plus coûteux et leurs émoluments progressent en proportion. Un Starck met sa marque aussi bien sur des produits de masse que sur des hôtels branchés. Les phénomènes de mode ne se limitent plus à la couture, haute ou grand public. Pour qu'un produit sorte du lot, il faut qu'il soit « brandé », non seulement par la marque qui le commercialise mais par un grand nom du stylisme. Les montants des prestations des créateurs ou concepteurs, fabuleuses pour un individu, ne comptent que pour une fraction du coût de production.

Quant aux artistes à millions, comme les Jeff Koons, Damien Hirst ou Robert Ryman, leur talent créatif n'aurait pas suffi, pas même émergé s'ils n'étaient managés ou promus par des galeristes comme Gagosian ou Saatchi, ayant parfaitement intégré les mécanismes du business de l'art.

Ces tribus d'individus créateurs, qui tirent un considérable parti financier de notre société marchande, créent de nouvelles catégories de fortunes. Mais le talent est rarement héréditaire ; ce ne sont donc pas des fortunes dynastiques. Leur ampleur est décuplée par rapport à ce qu'avaient accumulé leurs prédécesseurs il y a une ou deux générations. C'est que tout ce système, fondé sur la réputation et la notoriété, est hypertrophié, chaque jour et à toute heure, par la machine médiatique à répandre partout et immédiatement news et célébrité.

De même, chacun se rend compte que la complexité de nos sociétés s'accroît de manière exponentielle. Plus personne n'est en mesure de connaître les détails et les ressorts des systèmes à l'œuvre, y compris dans son propre métier. Nombreux sont les grands banquiers, au-delà de la cinquantaine, qui reconnaissent ne plus tout à fait comprendre les arcanes de la spéculation à la vitesse de la lumière que permet le numérique.

Une scène du film *Margin Call* sur la faillite de Lehman Brothers, qui a déclenché en 2008 la grande crise actuelle, l'illustre parfaitement. En pleine nuit de drame, le grand Chief Executive Officer (CEO) atterrit sur le toit de la tour de ses bureaux, descend de son hélicoptère et préside le conseil de crise. Il s'adresse d'emblée au plus jeune des membres présents, le plus doué en informatique : « Expliquez-moi ce qui est en train d'arriver. Sommes-nous déjà ruinés ? »

Des P-DG *aux salaires mirobolants*

C'est dire que de nombreux experts, virtuoses dans leur domaine, sont partout indispensables. D'où ces jeunes traders maniant les milliards avec le sang-froid de pilotes de course. Quand on brasse des milliards, on vous paye des millions. De même pour les avocats internationaux. Aucun deal de rachat ou de fusion, qui implique législations et jurisprudences de plusieurs pays, ne peut se faire sans eux. Ils deviennent eux-mêmes chaque fois un peu plus millionnaires.

Notons que les avocats ont un avantage sur les traders, dont les rémunérations apparaissent forcément dans les rapports des banques. On connaît rarement l'ampleur de leurs honoraires. Les riches les plus heureux sont ceux de l'ombre.

Après les traders, fort médiatisés et décriés dans le sillage de la crise financière de 2008, ce sont les super-grands patrons, les CEO, qui tiennent la vedette. Ou plutôt leurs rémunérations, aussi mirobolantes que difficiles à justifier.

Il y a trente ans, la révélation qu'Ambroise Roux, alors puissant patron de la CGE, gagnait l'équivalent actuel de 1,5 million d'euros par an, avait fait scandale.

Aujourd'hui, nombreux sont les P-DG du CAC 40 qui,

entre salaires, bonus et stock-options, perçoivent dix à vingt fois plus. Quant aux CEO anglo-saxons, certains parviennent à un multiple de 50. Dans les grandes sociétés cotées à Paris, la rémunération de leurs patrons a en moyenne triplé depuis l'an 2000. Sans que la corrélation avec les profits de leur firme soit proportionnelle.

À tel point que même les Suisses, pourtant nullement anticapitalistes, ont voté l'an dernier par référendum un contrôle des « rémunérations abusives » des grands patrons.

Dans le fonctionnement de la machine à fabriquer les riches, tel un appel d'air, l'envolée des revenus des patrons s'étend aux salaires et bonus des hauts cadres. Difficile, en effet, de retrouver chaque jour, en réunion, ses collaborateurs directs, qui gagnent vingt fois moins que vous et qui le savent. Il n'est donc pas rare de voir des directeurs financiers, de marketing ou des ressources humaines émarger autour du fameux million d'euros par an, ciblé par les moralistes fiscaux. C'est devenu un moyen, onéreux pour l'entreprise mais fort efficace, de renforcer la cohésion et la solidarité du Comex (comité exécutif) des grandes firmes.

Toutes ces pratiques ne sont le fait que de très grosses firmes, opérant à l'échelle du monde. Les plus modestes, même très rentables, ne peuvent pas offrir de tels salaires.

Cette machine à riches peut sembler opaque et ne cessera jamais d'attiser la curiosité. Mais elle obéit à quelques ressorts qui n'ont guère varié au cours des âges. Ceux qui parviennent à faire gagner de l'argent aux autres, ou à le leur faire croire, se font payer très cher. Si cher qu'ils entrent eux-mêmes durablement dans la catégorie des nantis et qu'ils pourront même assurer le confort (pas forcément le bonheur, mais ceci est une autre histoire) de leurs héritiers.

Des décennies de croissance à l'échelle internationale ont empilé de telles masses d'argent qu'il en découle une prolifération des riches. Vu sous cet angle, ces derniers deviennent une production comme une autre du système.

Est-ce justifié ou non ? En font-ils bon usage ou non ? Ces questions suscitent commentaires, débats et diatribes. Mais force est de constater que le sort des pauvres n'en est pas pour autant amélioré.

2

La fracture

Les inégalités sont-elles naturelles ou intolérables ? Sont-elles structurelles ou réductibles ? Et si oui, comment ? Des questions aussi anciennes que les sociétés humaines, partagées entre l'aspiration individuelle à la prospérité et l'idéal collectif d'égalité.

Un paradoxe illustre bien cette préoccupation morale millénaire, celui du christianisme. Son message le plus radical date de vingt siècles : « Il n'y a plus ici ni esclaves ni hommes libres, ni riches ni pauvres, ni hommes influents, mais des enfants de Dieu et des frères en Jésus-Christ. » Qu'en est-il advenu ?

Les révolutions française et russe qui ont façonné l'histoire contemporaine ne se sont-elles pas dressées contre des régimes d'inégalités intolérables, se réclamant pourtant de cette religion ? Le Christ voulait faire des humains des frères, mais les Églises ont, le plus souvent, sacralisé des pouvoirs inégalitaires. Ces faillites sociales de la foi ont donné naissance à une nouvelle croyance laïque, l'idéal démocratique : « Liberté, Égalité, Fraternité. » Bilan, après deux siècles : la liberté a bien progressé, l'égalité beaucoup moins, quant à la fraternité… la question se traite encore et surtout à l'échelle individuelle.

L'idée d'égalité a beaucoup perdu avec l'effondrement du soviétisme, qui avait voulu la résoudre radicalement, y compris par l'élimination sociale et quelquefois physique des riches. Mais ce régime s'est dévoyé, inspirant à George Orwell cette formule indépassable : « Tous les animaux sont égaux, mais certains sont plus égaux que d'autres. »

Depuis une trentaine d'années, le système économique communiste a partout fait faillite. Il a officiellement été banni en Russie, s'est politiquement maintenu en Chine tout en livrant l'économie au libéralisme le plus inégalitaire qui soit. Et dans les rares îlots de pure obédience marxiste, Cuba et la Corée du Nord, pauvreté et dénuement sont le quotidien du peuple.

En pratique, l'égalité est devenue un slogan creux, remplacé dans les discours démocratiques par un appel à plus de justice. Entendez, l'inégalité est inévitable, *ma non troppo*. Objectif : au mieux, éviter les conséquences les plus intolérables, sinon pour chaque citoyen, du moins pour une majorité d'électeurs. Aussi, à l'occasion des campagnes électorales, se doit-on de proposer quelques mesures, de portée bien limitée, en faveur des plus démunis. De nos jours, nous vivons donc dans des sociétés inégalitaires où l'opinion se divise entre ceux qui considèrent qu'on n'y peut pas grand-chose et ceux qui apprécieraient un peu plus de solidarité, du moment qu'on ne leur demande pas trop de cotiser comme contribuables.

Car nous restons quand même imprégnés de préceptes chrétiens dilués. Lesquels prônaient la charité, cette obole de solidarité déculpabilisante entre les riches et les pauvres. Mais c'est de ce modèle sommaire d'amortisseur social que les peuples ont dû se contenter pendant des siècles. Sauf quand les récoltes étaient trop mauvaises et que la famine sévissait. Quand les manants ont vu leurs enfants mourir de faim dans leurs bras, il leur est arrivé d'aller couper la tête aux riches propriétaires.

C'est bien ce qui s'est produit avec notre grande et déterminante Révolution française, quand le mécontentement s'est combiné avec un corps d'idées nouvelles, celles des Lumières, qui avaient mis en mots les idées fondatrices de la démocratie.

Réduire les inégalités coûte trop cher

On s'accorde volontiers sur l'objectif de réduire la « fracture sociale ». C'est moralement plus confortable et socialement plus prudent. Mais c'est aussi de moins en moins, financièrement, dans nos moyens.

Il n'en a pas toujours été ainsi, car nous avons récemment connu une période bénéfique d'atténuations notables des inégalités, sans qu'elles se réalisent au détriment des riches. On garde encore, en Europe et aux États-Unis, le souvenir de ces trois ou quatre décennies qui ont suivi la fin de la Seconde Guerre mondiale. Nous les avons appelées les Trente Glorieuses, les Américains « the Great Compression ».

La montée d'une classe moyenne rapprochait les modes de vie des citoyens. C'était la première période historique de réduction volontariste du fossé entre riches et pauvres. Il aura fallu, pour cela, des circonstances difficiles à reproduire aujourd'hui : un consensus politique, un fort taux de croissance générateur de surcroîts de richesses, des besoins d'équipement considérables, une main-d'œuvre abondante du fait de l'exode rural et de l'immigration, enfin des progrès rapides en technologie et en productivité.

Le plus décisif a sans doute été le consensus politique. On sortait d'une guerre destructrice qui avait forgé, dans l'épreuve, une forme de solidarité patriotique. Mais surtout, la tentation communiste se traduisait, chez nous, par des poussées de la gauche, y compris des PC européens. Les possédants ont alors jugé prudent de faire des concessions, pour un partage plus équitable. D'autant qu'à cette époque, en France, la droite conservatrice s'était déconsidérée par trop de connivences avec le régime de Vichy.

Le tout ficelé par une théorie économique appropriée, celle de Keynes, reprise par le Labour britannique, les social-démocraties nordiques et même les démocrates-chrétiens en France et en Italie. Elle prônait l'intervention de l'État pour préserver le plein-emploi, la redistribution par l'impôt et la création de systèmes d'assurances sociales et d'allocations pour les chômeurs. Ainsi est né un système européen d'État-providence, que nous appelons, par nombrilisme, le modèle social français.

Les taux de croissance oscillaient entre 5 et 6 %, chiffres de rêve vus d'aujourd'hui, qui facilitaient le resserrement des écarts de niveaux de vie, sans qu'aucune catégorie sociale en pâtisse. S'y ajoutait une inflation forte qui érodait les gros patrimoines monétaires et facilitait les achats à crédit, puisque les taux d'intérêt étaient à peine plus élevés que l'inflation.

Il ne s'agissait pas seulement d'un élan de générosité. Les idées rooseveltiennes de soutien de l'économie par l'action publique apparaissaient comme le seul bouclier à opposer à l'égalitarisme radical des communistes.

Il fallait que ça marche pour éviter le sort des pays passés derrière le Rideau de fer. Mais les résultats sont venus et la croissance, par l'enrichissement, d'une classe moyenne qui n'avait plus d'attirance pour la révolution prolétarienne, a élaboré un sérieux amortisseur politique.

Ainsi les taux d'équipement des ménages ouvriers ont fait un bond spectaculaire entre 1954 et 1975. Ils sont passés, pour les voitures, de 8 à 75 %, pour les téléviseurs de 1 à 87 %, pour les réfrigérateurs de 3 à 91 %.

Mais au bout de trente ans, cette spirale ascendante a perdu de sa dynamique. Une partie des besoins d'équipement étant satisfaite, les taux de croissance baissaient de plus de moitié au moment où la puissance qu'avaient acquise les syndicats pendant les années faciles commençait à enlever beaucoup de souplesse au marché du travail. En même temps, la concurrence des pays à faibles coûts de main-d'œuvre commençait à sévir.

Vers la fin des années 70, l'alternative communiste avait perdu tout crédit, du fait de ses échecs à apporter la prospérité aux peuples et des répressions brutales de toute velléité de libéralisation dans les « démocraties populaires ». C'est alors qu'au tournant des années 80, de vrais conservateurs sont arrivés au pouvoir, en Grande-Bretagne avec Thatcher et aux États-Unis avec Reagan. Ils se sont confrontés, avec succès, au pouvoir syndical devenu trop puissant. Reagan, en licenciant tous les contrôleurs aériens en grève ; Thatcher, en faisant réprimer par l'armée, sans états d'âme, une grève des mineurs, le cœur même des puissants Trade Unions britanniques.

La fracture inégalitaire s'élargit

C'est le début d'une période, également d'une trentaine d'années, pendant laquelle la fracture inégalitaire, dont les bords s'étaient rapprochés, va de nouveau s'élargir, du moins dans nos pays développés.

Sont alors réunies des conditions historiques qui convergent vers une nouvelle ère économique, que l'on pourrait décrire comme la revanche des riches. Même si

ces derniers n'ont jamais eu les moyens directs de façonner le puissant fleuve de l'Histoire. Mais, cette fois
encore, ils ont su profiter des circonstances. Lesquelles ?

La dynamique des Trente Glorieuses avait consacré
le triomphe américain sur les pays de l'Axe, entraînant
la poussée d'une société de consommation bénéfique
pour un plus grand nombre, l'inspiration keynésienne
justifiant le rôle économique de l'État. Enfin, la Guerre
froide, qui poussait l'Occident, par simple prudence, à
un minimum de générosité sociale.

L'économie est de tout temps sujette aux crises.
Quand le moteur de la reconstruction, historiquement
exceptionnel, a commencé à ralentir, on a dû recourir à
des politiques de relance. Elles ont trouvé leur doctrine
dans la pensée conservatrice, inspirée par l'« anti-
Keynes », l'économiste américain Milton Friedman. Il
avait, dès le milieu du siècle, théorisé la diminution du
rôle de l'État et la confiance qu'il fallait faire aux
marchés en libéralisant et dérégulant, pour favoriser
l'initiative individuelle. Or des circonstances historiques propices, à partir des années 80, ont permis que
ces politiques soient mises en œuvre.

Elles ont été propulsées au plan mondial par le second
triomphe américain, celui-ci en creux : la fin de la Guerre
froide, l'effondrement totalement imprévu de l'Union
soviétique, la conversion de la Chine, menée par Deng
Xiaoping, à l'économie de marché et au libéralisme le
plus débridé. C'était, d'un coup, l'autre moitié de la planète qui basculait dans le système économique occidental, devenant de facto pensée unique. Que le petit

homme, patron de la Chine communiste, adopte le slogan de François Guizot au milieu du xixᵉ siècle, « Enrichissez-vous ! », en dit long sur les retours de balancier de l'Histoire. La machine à produire de nouvelles générations de riches était officiellement lancée, le libéralisme économique semble, depuis, l'avoir emporté par K-O. Or les riches en sont le sous-produit naturel.

Une mention, au passage, pour notre débat interne français, souvent à contre-courant des mouvements mondiaux. Les années 80, qui ont été la rampe de lancement du libéralisme, sont celles, chez nous, de l'élection de François Mitterrand, des nationalisations, des ministres communistes. Rétrospectivement, on réalise qu'elles n'ont eu que des conséquences provisoires. Les privatisations ont vite corrigé le tir. De même qu'un peu plus tard la mesure socialement symbolique des 35 heures, sous un gouvernement socialiste, en pleine montée de la concurrence mondialisée, n'a pas vraiment infléchi les chiffres du chômage. Mais le tissu français est résistant. Ces temps-ci, il peine un peu mais ne s'en sort pas trop mal. On le verra au chapitre suivant.

Conséquence de tous ces changements dans les dernières décennies du xxᵉ siècle, le paradigme a bougé. Il n'est plus guère question de réduire l'écart entre riches et pauvres, car c'est le chômage qui est devenu le problème et la menace sociale. Comme le taux de croissance fléchit inexorablement, il faut à tout prix favoriser la production et tant mieux si les riches peuvent y aider. On en vient, aux États-Unis, à formuler des théories économiques ad hoc, comme celle du « ruissellement » : quand la richesse s'accroît au sommet, la consommation des favorisés qui en découle entraînerait des créations d'activité, donc des emplois. C'est loin d'être prouvé, mais le fait qu'on le formule ainsi dénote que la richesse n'a plus de complexes. Elle s'autojustifie économiquement et socialement.

La priorité n'est plus la pauvreté mais l'emploi

Le casse-tête des dirigeants de nos pays aux économies fatiguées n'est pas la pauvreté, mais la rareté de l'emploi. Pourquoi ce chômage endémique, alors que la croissance, même ralentie, est toujours là ? C'est qu'on n'a plus autant besoin de salariés français, car la production industrielle ou celle des services est de plus en plus assurée par des machines, en même temps que les entreprises ont la possibilité de délocaliser ailleurs dans le monde, pour moins cher.

On peut gagner des sommes d'autant plus colossales qu'on ne crée pas d'emplois. Exemple plus qu'emblématique : Apple, qui est devenu une des toutes premières capitalisations boursières et a accumulé la plus opulente trésorerie d'entreprise du monde (plus de 130 milliards de dollars fin 2012), tout en ne fabriquant presque aucun de ses produits aux États-Unis. Et il ne s'agit en rien d'une exception regrettable, mais plutôt d'un modèle d'efficacité, envié et imité par beaucoup d'acteurs économiques rationnels.

En même temps se sont développées les sources de richesse qui n'ont pas besoin de travailleurs, ou si peu. Car depuis que l'inflation a été maîtrisée, dans nos pays, la finance a pris le relais de l'industrie comme source de profit. Une création de richesse hors-sol, qui a rebattu une nouvelle fois les cartes et remodelé le paysage économique mondial, y compris le type de crise que nous traversons.

La dérégulation à l'anglo-saxonne et la fluidité, de plus en plus grande, des transactions financières ont fait des « marchés » les arbitres incontrôlés des entre- prises et des États. Parallèlement, l'ubiquité de l'argent mondial, par l'électronique, a permis l'invention de « produits financiers » de plus en plus sophistiqués et lucratifs. La créativité des meilleurs esprits s'est inves- tie dans la finance au moment où la rentabilité de l'industrie traditionnelle baissait. On assiste depuis la fin du XXe siècle à une forte poussée du développement des Mecques financières, la City de Londres, Wall Street, Hong Kong, bientôt Shanghai. On y fixe aux pro- fits financiers des objectifs de croissance à deux chiffres, bien plus rémunérateurs que l'industrie, sauf celle, toute nouvelle, du numérique.

L'argent circule à la vitesse de la lumière et joue à saute-frontière sans entraves. L'optimisation fiscale est devenue le sport le plus pratiqué par toutes les grandes fortunes – entreprises et patrimoines particuliers confondus. Les tours de verre poussent comme des

champignons dans les paradis fiscaux en pleine ébulli-
tion. Cette manière légale d'échapper à l'impôt, dont
vont abuser les grandes firmes mondiales, constitue un
puissant levier pour accroître les gros patrimoines et
donc creuser les inégalités par le haut.

Mais, plus profondément, la vision que l'on a des
entreprises se modifie.

Leur rôle de productrices, de génératrices d'emplois,
passe au second rang derrière un critère devenu détermi-
nant : la « création de valeur »... pour les actionnaires et
les managers. C'est une révolution silencieuse, surtout
suivie par les spécialistes, dont les gérants de fortune,
car elle fixe l'objectif suprême du système libéral mondial, aussi décomplexé que dérégulé : enrichir les possédants. D'où, par exemple, ces « licenciements boursiers »
qui font des salariés une « variable d'ajustement » dans
la réalisation d'objectifs de rentabilité. Ce n'est pas forcément la cupidité capitaliste qui en est responsable
(encore que...), mais plutôt les objectifs affichés par des
fonds de pension ou d'assurances-vie qui sont devenus
les principaux actionnaires des entreprises.

C'est à eux que l'on doit cette obsession de la croissance à deux chiffres du profit, dans tous les secteurs et
en toute période. Ils ont imposé un diktat financier dans
l'univers de l'industrie, qui, à long terme, est intenable.

On ne peut espérer une rentabilité durable de 12 %
dans un pays où le taux de croissance ne dépasse
pas 2 ou 3 %.

Les financiers imposent leurs règles

Les acteurs financiers sont ainsi devenus, du fait des capitaux qu'ils manient, les actionnaires décisifs de beaucoup de nos grandes firmes, internationalisées autant par leurs marchés que par leur actionnariat. Elles portent des noms français qui nous sont familiers, leurs dirigeants sont français, mais leurs produits se vendent à plus de 80 % hors de France et leur actionnariat est à majorité étrangère. Pour leurs dirigeants, les vrais patrons sont Wall Street et Londres, les vrais censeurs, les agences de notation. Entités aux yeux desquelles l'emploi est un fardeau à porter qu'il convient de réduire au maximum. Toute annonce de plan de licenciement fait monter le titre en bourse. L'industrie comme les États doivent se conformer aux objectifs de création de valeur. La fabrication de richesse est devenue le but revendiqué du jeu.

Pas étonnant donc que la fracture entre riches et pauvres soit en train de s'élargir. Selon les statistiques du bureau du budget du Congrès américain, entre 1979 et 2006, le revenu moyen des ménages, avant impôts et corrigé de l'inflation, a augmenté de 50 %. Mais cette augmentation a plafonné à 10 % pour les 20 % des foyers les moins aisés, tandis qu'elle dépassait 100 % pour le décile supérieur. Autrement dit, les 10 % les plus riches ont accaparé les deux tiers du produit de la croissance.

Et le 1 % le plus nanti a englouti la plus grosse part

du gâteau. Deux économistes français, Thomas Piketty et Emmanuel Saez, ont passé au crible les inégalités aux États-Unis de 1913 à 1998. En prolongeant leurs chiffres, il est possible de comparer la part du revenu total que perçoit le centième le plus riche : il était de 7 % dans les années 70, il a plus que triplé et atteint désormais près de 25 %. Le cas américain est extrême, mais tous les pays développés connaissent la même tendance.

En France, entre 1998 et 2008, le revenu global des ménages après impôts et prestations sociales s'est accru de 261 milliards d'euros en termes réels. Dans ces dix années, 2,8 % de la richesse nationale sont allés aux 10 % des foyers les plus pauvres, tandis que les 10 % les plus riches s'en sont partagé 31,7 %.

En matière d'inégalités, un baromètre fait autorité : le coefficient de Gini. Du nom d'un statisticien italien, Corrado Gini. Cet indice a l'avantage de la simplicité, et permet les comparaisons internationales. Pour un groupe donné, si chacun perçoit un revenu identique, le coefficient est de zéro ; et si une personne prend tout, il est de 1. Plus le chiffre du Gini est bas, plus on s'approche de l'égalité. En matière d'inégalités, le record national est détenu par l'Afrique du Sud avec 0,62. À l'autre bout du spectre se trouvent les pays scandinaves, autour de 0,25. Les États-Unis ont, parmi les pays développés, l'indice le plus élevé (0,39). Il est en France de 0,28. Interprété en tendance, le Gini confirme presque partout dans le monde un accroissement des inégalités. Il est plus marqué aux États-Unis qu'en Europe, mais l'orientation ne connaît pas de contre-exemples dans les pays développés.

En Europe, entre 2000 et la crise actuelle, les statistiques montrent une stabilisation de la pauvreté. Depuis, elles repartent à la hausse. En France, par exemple, le taux de pauvreté a régulièrement augmenté ces dernières années : 12,7 % en 2008, 13,3 % en 2010, 14 % en 2011. Soit 400 000 personnes passées au-dessous du seuil redouté. La France n'est pourtant pas la plus mal lotie, comparée à ses voisins : Allemagne (15,8 % de pauvres), Royaume-Uni (16,2), Italie (19,6), Espagne (21,8). Les deux seuls pays qui se distinguent vraiment du lot sont la Norvège (10,5 %), grâce à sa rente pétrolière, et les Pays-Bas (11 %), de tradition égalitariste.

Mais au-delà des chiffres, un changement qualitatif s'opère, avec de plus en plus de travailleurs pauvres et particulièrement des jeunes. Pas un pays n'échappe à cette évolution. Elle peut être limitée par l'existence d'un Smic, comme en France, mais au prix de plus de chômage. Ou au contraire encouragée, comme l'a fait par exemple l'Allemagne, qui ne connaît pas de salaire minimum. C'est le revers de la médaille du « miracle » allemand : un cinquième des salariés d'outre-Rhin est payé moins de 10 euros brut de l'heure. Et plus de 1,1 million d'employés sont même rémunérés moitié moins, ce qui serait illégal au Royaume-Uni par exemple. La libéralisation du marché du travail en 2003-2004, sous Schröder, a notamment introduit les

« mini-jobs » à 400 euros net par mois, qui ont envahi la restauration et la distribution.

Au total, chômeurs et travailleurs pauvres ont gonflé les statistiques d'une pauvreté croissante et lancinante qui étire les inégalités vers le bas de l'échelle.

Les chômeurs réalisent qu'on n'a plus besoin d'eux

Derrière les chiffres, une réalité de plus en plus évidente : dans les économies modernes, devant la productivité des machines, le travail humain est en réduction permanente. Les chômeurs ont, souvent à juste titre, le sentiment que l'on n'a plus besoin d'eux, ou alors au rabais. Entre riches et pauvres, les termes de l'échange, notion économique de base, se sont modifiés en faveur des riches.

Car les salariés sont remplaçables, confinés, en Europe, dans leurs frontières par les législations de chaque pays, les différences linguistiques, les niveaux de culture inadaptés. Ils refusent souvent de quitter un logement ou une région, encore plus leur pays. Tandis que les riches sont à l'aise dans un espace mondialisé, où leurs capitaux peuvent parcourir la planète entière sans la moindre entrave. Et quelles que soient les transformations accélérées de nos sociétés, de l'argent on aura toujours besoin. Il faut être bien informé et conseillé pour savoir, selon les circonstances, le placer là où il aura le meilleur rendement. Les riches ont le moyen de le savoir, car ils sont conseillés par les bons spécialistes, lesquels constituent eux-mêmes une catégorie croissante de hauts salariés et d'experts indépendants.

Dans la répartition des produits de l'activité économique, un arbitre, l'État, avait, pendant les années de réduction des inégalités, joué un rôle décisif et reconnu comme tel. Or, dans nos pays fortement endettés, l'arbitre est en haillons. Il n'a plus les moyens de garantir le simple maintien des acquis sociaux des années fastes.

Dans tous nos pays aux capacités de croissance et de rebond affaiblies, on rogne sur l'âge de la retraite, les remboursements de santé, les allocations chômage, les études gratuites, les services publics. Bref, on diminue un train de vie que nous ne sommes plus, en tant que contribuables, disposés à continuer à financer par l'impôt. Pendant que les nouveaux arbitres, les fameux marchés, nous interdisent désormais de maintenir une protection sociale à crédit.

C'est peut-être la vraie conséquence sociale durable de la crise des dernières années. Le montant de l'endettement est sous les projecteurs. Plus moyen de financer, en douce, les promesses électorales. Or les pauvres, qui bénéficient des filets sociaux, n'ont pas les moyens de payer des impôts, sauf sur la consommation.

En France, moins de la moitié des citoyens acquittent l'impôt sur le revenu (qui a tout juste cent ans). Et 37 % de ses recettes sont réglés par 1 % des contribuables. Une chaîne de solidarité, donc, entre ceux qui peuvent payer et ceux qui ont besoin de l'apport des plus favorisés pour mener une vie décente. Mais les riches et les classes moyennes, saturés de fiscalité, ne veulent plus payer pour les pauvres. La solidarité nationale est en train de s'effilocher et les moins favorisés en vivront les conséquences. Eux et leurs enfants.

C'est une profonde mutation dans nos pays devenus vieux, aussi bien économiquement que démographiquement. À l'exception des Français, qui, de manière encore mystérieuse et paradoxale, continuent à se reproduire tout en étant plus pessimistes que les autres pays européens sur l'avenir.

On va sortir, graduellement, des années de crise, mais la manière dont on vivait au temps de la croissance fera partie des bons souvenirs. Les rouages d'une mécanique inégalitaire sont en place. Comme la cigale, nous voici fort dépourvus, car les années difficiles sont venues.

3

La France moins inégale

l y a au moins un point de consensus en France : ça
ne va pas fort et ça n'est pas près de s'arranger. Les
moins favorisés estiment que leur situation empire.
Les classes moyennes craignent le déclassement et les
plus riches sont persuadés qu'« on va dans le mur ».
Nous avons la réputation d'être des râleurs pessimistes,
et la phase économique difficile que traverse l'Union
européenne depuis cinq ans peut donner à chacun des
raisons de se plaindre. Mais est-ce justifié ?

Il y a toujours trois dimensions selon lesquelles on
peut évaluer sa situation : par rapport au passé, aux
autres ou à l'avenir. Cet exercice en 3D amène souvent
à relativiser nos premiers jugements. Il en ressortirait
qu'aujourd'hui la situation des Français n'est pas aussi
mauvaise que ces derniers ont tendance à le dire.

Quand on compare avec le passé, tout dépend de
l'époque à laquelle on le situe. Il est exact que les dernières années ont été grisâtres, puisque notre PIB, en
2013, a oscillé entre stagnation et infime progression.
Mais même pendant la crise financière mondiale depuis

2007, notre économie a continué à croître modeste-
ment. De manière inhabituelle, les revenus des 1 % les
plus riches ont, suite au krach de 2008, baissé de 4,5 %
en 2009, mais ont rebondi d'autant dès l'année suivante
(selon l'Insee).

Au printemps 2013, on a pu lire des titres alarmistes
dans la presse : pour la première fois depuis des décennies, le pouvoir d'achat a enregistré une baisse de
0,9 % ; une manière, en creux, de souligner qu'il n'avait
cessé de croître du vivant de la majorité des Français.

Notons au passage qu'une baisse de 0,9 % du pouvoir d'achat n'a entraîné qu'une diminution de 0,4 % de
la consommation, car les Français ont un des meilleurs
taux d'épargne d'Europe. Ils ont seulement un peu
puisé dans leurs réserves, pour compenser. On ne sait
pas encore s'il s'agit d'un passage à vide provisoire ou
d'une tendance durable à la baisse.

À cet égard, nous avons la mémoire un peu courte,
car si les toutes dernières années ont été plus néga-
tives, le pouvoir d'achat au cours des quatre décennies
précédentes a quasi doublé. Même une fois les Trente
Glorieuses révolues, la richesse nationale a continué à
progresser de près de 2 % par an. Mais depuis le cap
de l'an 2000, cette croissance ne dépasse guère 1 % et
pourrait se traîner ainsi longtemps.

Pendant les trois premières années de crise, le revenu
disponible brut a toujours continué à progresser, même
s'il a ralenti : + 5,2 % en 2007, + 3,2 % en 2008, + 1 % en
2010. L'« airbag » national a bien fonctionné.

Au plus fort de la secousse, la France a mieux résisté

que les autres pays développés. À l'automne 2008, après que le système bancaire mondial fut passé à deux doigts de l'effondrement général, le PIB plonge de 2,7 % au Japon, 2,2 % en Allemagne, 1,7 % aux États-Unis, un peu moins en France, 1,5 %. Puis, contrairement aux prévisions optimistes des conjoncturistes, la situation se détériore encore l'année suivante, en 2009. Mais, là aussi, nettement moins chez nous (– 2,5 %) qu'en Allemagne (– 4,7 %). Il faut ensuite attendre le deuxième semestre 2010 pour que s'esquisse un rebond. Toutefois, alors que l'Allemagne enregistre une croissance de 2,3 %, la France ne gagne que 0,7 point de PIB. Notre système encaisse mieux les chocs, mais a plus de mal à repartir.

En comparaison avec nos voisins, la situation n'est pas si mauvaise. Économiquement, la France se maintient dans une situation intermédiaire entre les vertueux du Nord et les laxistes du Sud. Le taux de chômage se situe dans la moyenne européenne, de même que l'endettement, à peine plus élevé en pourcentage que celui de l'Allemagne. Idem pour le taux de croissance, anémique chez nos voisins comme chez nous. Rien de glorieux, donc, mais nous faisons preuve d'une certaine résilience dans une conjoncture de crise. Preuve supplémentaire : alors que, depuis vingt ans, les inégalités ont continué à croître dans tous les pays, elles restent presque stables en France.

Durant cette période, le fameux coefficient de Gini qui mesure les inégalités a augmenté de 2 % ou plus dans toutes les nations riches, dont le Royaume-Uni, l'Allemagne ou l'Italie et même dans les pays scandinaves, pourtant réputés pour leurs penchants égalitaristes. Alors qu'en France, l'augmentation mesurée du Gini reste faible. L'Insee pointe même qu'entre 1967 et 2009, les disparités salariales ont diminué, contrairement à l'évolution observée partout ailleurs. L'Hexagone reste, en dépit du discours ambiant, un pays relativement égalitaire.

La sécession des riches

L'examen sur une longue période, dans chaque pays, des revenus avant impôts des 1 % les plus riches le confirme. À la fin des années 30, ils représentaient aux États-Unis, au Royaume-Uni comme en France plus de 15 % des revenus totaux de la population. En 1975, vers la fin des Trente Glorieuses, ce pourcentage était tombé respectivement à 8 aux États-Unis, 6,5 au Royaume-Uni et 8,5 en France. Mais, dès 2005, il était remonté à 17,5 aux États-Unis, 14,3 chez les Britanniques, tandis qu'il restait à 8 en France.

Il y a une limite, vite atteinte, à ce que peuvent nous enseigner les statistiques. Selon elles, la France est plus égalitaire que ses homologues européens, et les riches y progressent pourtant sans entraves.

C'est ce que Thierry Pech, directeur d'*Alternatives économiques*, nomme, à juste titre, « la sécession des riches ». Les plus habiles, les plus créatifs, les plus talentueux ou les mieux placés sont désormais libres de s'enrichir sans vrais obstacles. Sécession veut dire que la capacité de faire fortune est assez peu dépendante du taux de croissance, alors que toute faiblesse de ce dernier entraîne les moins favorisés vers la précarité.

Lorsqu'on compare les revenus moyens des 10 % les plus modestes et des 10 % les plus favorisés, l'écart des revenus en France reste environ de 1 à 3. Mais à l'intérieur du décile du sommet, les différences peuvent atteindre 1 à 150, celles qui séparent la moyenne de ces 10 % des 1 % les plus fortunés. Lorsqu'on atteint cette stratosphère de l'opulence, on ne raisonne plus en montants, mais en symboles.

Le top du top, le fameux 0,1 %, ne représente qu'une dizaine de milliers de foyers, mais ce sont les plus visibles, chaque jour, dans les médias. C'est à leur propos que l'on peut parler de sécession. Ils vivent autrement que la population française, avec des images qui fascinent autant que pouvaient le faire les châteaux de la noblesse sous la monarchie. Ils suscitent d'ailleurs moins de détestation qu'on ne l'entend répéter dans les cercles du pouvoir. Les sondages montrent qu'ils laissent plutôt indifférent, mais font vendre du papier lorsqu'il est question de leurs amours, de leurs malheurs ou de leurs démêlés fiscaux.

L'idée simpliste qu'il suffirait de prendre aux riches pour que les pauvres vivent mieux a disparu avec Georges Marchais. Jean-Luc Mélenchon, plus cultivé, ne s'en prend aux riches que dans ses envolées lyriques, pas dans les émissions où il doit paraître crédible. Ce qui n'empêche pas les riches, en France, d'avoir un rôle politique, mais pas toujours volontairement, grâce à leurs impôts.

Revenons donc sur les raisons d'être des impôts dans une nation : 1. financer l'État, les services publics et la protection sociale ; 2. redistribuer plus équitablement la richesse produite pour améliorer le sort des moins favorisés ; 3. donner un signal politique montrant que l'on n'est pas au service des puissants.

La première fonction demande des capitaux considérables qui ne peuvent être trouvés que dans les impôts, à « assiette large », sur la consommation (TVA) ou les charges sociales (CSG). La seconde, celle de la redistribution, a bien fonctionné de 1950 à 1980, mais, depuis, n'est plus guère à l'ordre du jour, en France comme partout. Parce qu'on n'a plus collectivement les moyens d'aller au-delà des acquis des Trente Glorieuses. On constate même qu'il va falloir renoncer à une partie d'entre eux et c'est ce drame d'adaptation qui va monopoliser la tension sociale des années à venir.

Reste la fonction politique : faute de pouvoir vraiment aider les pauvres, on taxe les riches pour donner un gage d'équité. C'est la principale fonction de l'ISF qui ne rapporte presque rien au trésor public, ou de la super-taxe à 75 % au-delà d'un million de revenus par an. Les rendements de ces impôts de riches sont dérisoires face aux besoins totaux des prélèvements obligatoires. L'ISF fait rentrer environ 4 milliards par an, desquels il faut déduire le coût de son recouvrement. Il ne remplit donc qu'un rôle de bouclier politique, aussi utile pour la droite que pour la gauche. Tout le monde sait qu'il ne sert qu'à cela. Autant le conserver et laisser les vrais riches et leurs conseillers fiscaux trouver des parades individuelles. Quant à la super-taxe, elle concerne moins de 2 000 foyers.

Les États européens ne contrôlent plus la fiscalité nationale

L'impôt dans la France endettée du XXIe siècle a perdu sa fonction d'égalisateur social, il n'est plus que le vestige d'une préoccupation de justice. Il serait vain d'incriminer l'État ou les socialistes. La réalité est que l'État n'a plus vraiment le contrôle de la fiscalité nationale. Si, depuis l'élection de François Hollande, les riches ont pu successivement éviter un ISF déplafonné, un impôt de 65 % sur les plus-values des investissements dans une entreprise et la taxation personnelle à 75 %, c'est parce que le véritable censeur de ces mesures est la concurrence fiscale entre États européens. L'argument fonctionne à chaque fois : si la France prend des mesures fiscales trop punitives par rapport au reste de l'Union, les capitaux iront s'investir ailleurs et les meilleurs choisiront de faire carrière à Hong Kong ou São Paulo. En France on peut encore débattre de l'impôt, mais plus guère l'augmenter. Sauf d'occasionnelles retouches de TVA, car les consommateurs ne descendent pas dans la rue ni ne peuvent faire de lobbying à Bruxelles.

Partout, on observe donc, depuis le début de ce siècle, que le peloton des salariés s'étire un peu mais ne perd pas trop de terrain, même si quelques sprinteurs se sont nettement détachés et font la course loin en tête – les riches. Pourquoi cette spécificité française qui a mis le pays, jusqu'ici, à l'abri des grandes confrontations sociales ?

L'explication est relativement simple. Et tient en quatre lettres : Smic. L'augmentation régulière des bas salaires, complétée par quelques coups de pouce au début des années 2000, est un puissant régulateur. Une étude Eurostat vient souligner cette différence : alors que les Allemands et les Anglais connaissent une forte poussée des « travailleurs pauvres » (ceux qui gagnent moins de deux tiers du salaire médian), lesquels représentent chez eux 22 % des salariés, ils ne sont que 6 % en France. Un autre élément complète ce tableau : l'augmentation continue des charges sociales qui a pesé sur les revenus moyens et élevés, alors que la législation protège les salaires minimum de ces prélèvements.

Il en résulte que les inégalités les plus marquantes aujourd'hui en France concernent l'emploi. Il plonge à partir de 2009 et n'a cessé depuis de se dégrader, pour atteindre son pire score historique en 2013. Mais, en comparaison avec les périodes de récession précédentes, l'emploi salarié en CDI a mieux résisté. Ce sont les CDD, l'intérim et le travail à temps partiel qui se sont le plus détériorés.

Depuis la fin des années 70 et l'apparition d'un chômage de masse, des centaines de milliers de sansemplois s'y sont ajoutés, soulignant l'impuissance de tous les gouvernements successifs à faire mieux que des mesures palliatives. De même pour les syndicats, dont la mission semble se limiter à défendre ceux qui ont un travail ou risquent de le perdre. Si bien que le monde du travail est désormais binaire : les « in » et les « out ». À chaque plan social médiatisé, on peut voir les syndicats à la pointe du combat pour s'opposer, avec un taux de succès lui-même en déclin, à la fermeture de sites qui menacent quelques centaines de postes. Mais chaque jour, en silence, sont détruits des milliers d'emplois qui n'ont pas bénéficié de l'attention des médias, ni d'une mobilisation syndicale. Malheur aux chômeurs !

Je ne peux m'empêcher d'évoquer là un dessin particulièrement cruel de Xavier Gorce, l'humoriste aux pingouins. On y voit son personnage devant un bureau où le préposé lui dit : « Vous êtes chômeur et vous venez vous inscrire à Pôle emploi ! Vous ne feriez pas mieux d'aller chercher un emploi ? »

L'inégalité la plus grave : l'éducation

Dans ces domaines, comme dans bien d'autres, l'avenir suscite plutôt des craintes en France. Les inégalités vont-elles continuer à se creuser ? Les pauvres pourront-ils éviter la dégradation de leur situation actuelle ? Ont-ils un espoir d'amélioration ? Les classes moyennes seront-elles tirées vers le bas ? Quant aux riches, se sentiront-ils plus visés en France qu'ailleurs ? Leurs enfants, qui reçoivent tous des formations internationales et multilingues, partiront-ils travailler à l'étranger ?

Face à l'avenir, les inégalités ne sont pas seulement financières. Les plus conséquentes sont celles qui concernent l'éducation. C'est à la fois le plus lent et le plus puissant moteur de l'ascenseur social. L'effet correcteur d'inégalités a joué à plein, ces dernières décennies, en faveur des filles qui surpassent désormais les garçons en diplômes dans presque toutes les matières. Une révolution silencieuse qui sera déterminante pour notre siècle.

Plus récemment, l'ascenseur qui permettait aux catégories modestes d'espérer un diplôme est en panne. Alors que 21 % des enfants d'enseignants et de professions libérales accèdent aux grandes écoles, la proportion tombe à 0,8 % pour ceux des ouvriers non qualifiés et à moins de 4 % pour les enfants d'employés. Les enfants des milieux favorisés ont vingt fois plus de chances de se retrouver dans les meilleures filières que ceux des milieux populaires.

L'enseignement supérieur, qui avait pu se démocratiser en France grâce à sa quasi-gratuité, est désormais un luxe. Les études sont plus longues. Il faut au moins bac + 5, là où, après la guerre, un bac + 3 suffisait. Ce simple fait rallonge la durée du soutien financier des parents. Les études supérieures sont aussi plus chères, parce qu'elles impliquent souvent des stages à l'étranger. Une source de frais supplémentaire. On peut, chez nous, continuer à bénéficier à l'université d'une formation quasi gratuite, mais les diplômes qui débouchent sur les meilleurs emplois sont ceux des grandes écoles, dont les tarifs ne cessent de grimper. Les enfants d'employés et d'ouvriers (45 % de la population) se retrouvent à 11 % dans ces établissements de pointe.

Les frais de scolarité vont de 12 000 euros par an pour une école commerciale en France à plus de 80 000 dollars dans une université américaine réputée. Qui peut payer autant, plusieurs années de suite et pour deux enfants voire plus ? Les riches. C'est même le meilleur héritage dont ils puissent doter leur progéniture. Et cette hausse vertigineuse des coûts éducatifs est mondiale. La France restant, là aussi, plus modérée que les États-Unis, le Royaume-Uni, et bientôt la Chine.

On voit donc se renforcer une méritocratie mondiale censitaire.

Pour monter sur les podiums de nos sociétés sophistiquées, il faut avoir reçu les meilleures formations. En pratique, seuls les fortunés peuvent les payer à leurs enfants. Bien sûr, si ces derniers sont paresseux ou peu motivés, ils n'accéderont pas aux postes les plus intéressants ou les plus en vue. Mais ils pourront toujours trouver un emploi chez leurs parents, ou vivre de leur héritage. Dès l'école, les riches font et feront, de plus en plus, la course en tête.

Pendant ce temps, l'avenir des seniors s'assombrit. Ils vont vivre plus longtemps mais moins bien. Ils avaient connu leur « parenthèse enchantée » grâce à

Giscard qui, président, avait sérieusement revalorisé les retraites, puis à Mitterrand, père de la retraite à 60 ans. Pendant plus de trente ans, ils ont vécu une situation privilégiée. Au tournant du siècle, ils avaient un meilleur niveau de vie que les actifs. Une première dans l'histoire. De surcroît, leur durée de vie en bonne santé s'est constamment allongée, ce qui semble au moins un acquis durable.

Mais les futurs seniors ont du souci à se faire. L'âge de la retraite n'en a pas fini d'être repoussé, et les pensions sont, sur la durée, vouées à s'effriter, du fait de la baisse simultanée de la population active et du faible taux de croissance. Elles viennent déjà d'être décorrélées de l'inflation. Aujourd'hui, la France consacre 13 % de son PIB aux retraites, un taux record après l'Italie. Du fait du poids de notre dette, ce pourcentage ne pourra que régresser.

Le taux des seniors chômeurs est, en France, l'un des plus élevés d'Europe. Beaucoup, arrivés à l'âge de la retraite, ont encore de vieux parents partiellement à charge, quand ce ne sont pas leurs enfants chômeurs. En revanche, ceux qui ont perçu des salaires élevés bénéficient de retraites confortables qu'ils ont souvent pu arrondir en souscrivant à des organismes privés. Leur situation ne suscite donc pas, à moyen terme, les mêmes inquiétudes.

Une seule catégorie sociale en France peut avoir confiance dans son avenir : les femmes. En 1962, seul un tiers d'entre elles avait un emploi rémunéré, aujourd'hui ce sont les trois quarts. Les jeunes femmes sont plus diplômées que les hommes. En 2011, sur 32 bacheliers ayant obtenu 20/20 de moyenne, 23 étaient des filles. Leur vulnérabilité au chômage est inférieure à celle des hommes, car elles sont moins présentes dans les secteurs menacés, comme l'industrie traditionnelle. Certes, elles continuent à percevoir, en moyenne, un salaire inférieur de 20 % à celui des hommes. Mais en attendant que ce fossé se comble, il peut constituer pour elles, en conjoncture basse, un atout. Comme elles sont aussi performantes, voire meilleures, que leurs homologues masculins, des patrons peuvent les préférer, calculant qu'elles leur coûteront, à résultats égaux, moins cher. Comme le titrait, l'an dernier, le magazine *Clés* : « Il vaut mieux naître fille. »

Les riches français se sentent coincés

Quant à la question : « Fait-il bon être riche en France aujourd'hui ? », elle pointe les grandes disparités de situations entre les plus favorisés de nos concitoyens. On commence à faire partie du top 10 % des rémunérations avec 35 000 euros annuels, mais on entre dans le 1 % du sommet à partir de 85 000 euros. Au-dessus, l'ascension est stratosphérique. Pour clarifier le vocabulaire, il serait plus juste de réserver l'étiquette de riches à ceux du 1 %. Les 9 % en dessous appartiennent davantage à une classe moyenne supérieure. Leur statut est tout à fait différent de celui des vraiment riches.

Pour simplifier, disons qu'ils ne peuvent pas échapper aux conditions fiscales et au marché en vigueur dans notre étroit Hexagone. Ils doivent s'accommoder des prix élevés de l'immobilier, des études supérieures coûteuses, des médecins non conventionnés, de tous les frais qui découlent d'un mode de vie meilleur. Ils ne sont pas à plaindre, ils pourraient même envisager de vivre de manière plus frugale, mais ils sont comme tout le monde, ils tiennent à leurs habitudes, dont les coûts montent plus vite que les autres. En même temps, quand on crée une tranche d'impôt marginale, c'est pour eux et pas moyen d'y échapper. Quand le rabot hésitant de l'austérité à la française essaye de raboter quelques copeaux, c'est et ce sera de plus en plus pour eux. Dans un pays à la croissance anémique, encore pour des années, ils auront le sentiment que leur niveau de vie se dégrade et se plaindront de tous les gouvernements, qu'ils soient roses ou bleus.

Les vrais riches, eux, échappent à ces mesquineries. Leurs revenus, qui s'étalent entre plusieurs centaines de milliers et plusieurs millions d'euros par an, leur permettent à la fois de vivre sans trop compter, de se constituer un capital, de s'offrir des conseils financiers et fiscaux qui « optimisent », le plus souvent en toute légalité, leur facture fiscale et le rendement de leurs investissements. Certes, ils payent beaucoup d'impôts, ce qui leur permet même de se poser sans pudeur en victimes expiatoires du système.

Or le taux moyen acquitté par les plus riches, puisqu'un plafonnement de l'ISF a été maintenu, ne dépasse pas 45 %. C'est dire qu'il leur reste assez pour bénéficier de toutes les aménités et de tous les conforts. Et s'ils en arrivent à se sentir discriminés fiscalement, ils ont les moyens de s'exiler. Mais on peut s'interroger sur un mode de vie dicté par la fiscalité plutôt que par les affinités culturelles et amicales, sans parler des climats encore plus pluvieux que celui de Paris. Il faut imaginer que le fait de pouvoir se dire, chaque matin au réveil, que l'on va s'ennuyer ferme mais qu'on économisera dans la journée quelques milliers d'euros d'impôts, apporte peut-être un certain bien-être existentiel.

Ainsi donc, dans la France d'aujourd'hui, la fracture des inégalités ne s'est que faiblement creusée, contraire-ment à la plupart de ses voisins. À cet égard, les Français vivent mieux que les Allemands, les Britanniques ou les Américains, même s'ils continuent à penser le contraire. Mais la suite ne se présente pas bien. Pour la plupart des catégories sociales, sauf les femmes et les vrais riches, l'avenir a de quoi sembler préoccupant. Les gouvernants y peuvent-ils quelque chose ? Il serait imprudent de le croire. Le pire n'est jamais sûr, mais il est déjà évident que les améliorations possibles ne seront ni hexagonales ni gouvernementales. Notre situation dépend intime-ment de l'état de l'Europe. Or la croissance de notre petit continent sera, pour un moment encore, à la traîne du reste du monde. C'est dire l'intérêt de ce qui se passe sur l'ensemble de la planète et qui pourrait contribuer à une amélioration de nos problèmes locaux.

4
L'enrichissement du monde

Les riches font rêver. Ils sont fort visibles et chacun peut avoir l'aspiration légitime d'approcher, au moins un peu, leurs modes de vie. Mais ils ne sont que la fine couche d'écume à la surface d'un phénomène autrement puissant et conséquent : l'enrichissement du monde. Là se situe une des innovations les plus massives de l'histoire contemporaine, souvent occultée par les guerres, les convulsions politiques et l'obsession médiatique de l'actualité immédiate, qui empêche de distinguer les changements profonds.

Il y a deux siècles, Waterloo ; il y a un siècle, 1914, début des grandes tueries mondiales. Ces repères, qui nous viennent naturellement à l'esprit, soulignent les limites de notre perception, hypnotisée par ce qui se voit. Retenons-les comme dates jalons.

À l'échelle de la planète, il y a deux siècles on vivait pauvre et ignare, souvent dans l'oppression et la douleur physique, puis l'on mourait, en moyenne autour de trente ans. Nos ancêtres n'étaient qu'à peine un milliard, ils se déplaçaient à cheval ou en bateaux à voile. À part une poignée de privilégiés instruits, on vivait de la terre, d'abord pour se nourrir, ainsi que sa nombreuse famille, et pour vendre ses produits afin d'acheter juste de quoi se vêtir. On se tuait occasionnellement les uns les autres avec des fusils, pistolets et canons, mais à un coup.

Il y a deux siècles, les Chinois étaient 300 millions, les Européens, Russes compris, à peine 200 millions. Les Américains du Nord, fraîchement indépendants, guère plus de 5 millions. La Chine était encore l'empire le plus puissant de la planète, mais personne ne le savait, sauf les Mandarins qui croyaient que cela durerait.

C'est pourtant d'Europe qu'allaient venir les deux ferments de la modernité : de France, l'aspiration à la démocratie et à la liberté, née de l'accouchement meurtrier de la Révolution de 1789, puis des conquêtes napoléoniennes qui diffusèrent ces virus dans toute l'Europe. Mais aussi d'Angleterre, berceau de la Révolution industrielle, qui, entraînant l'inventivité techno-scientifique de notre petit continent, allait changer définitivement les conditions de vie.

Les premiers bénéficiaires en ont naturellement été les riches, poussés par l'esprit d'entreprise et la cupidité atavique de notre espèce. Mais, rapidement, les travailleurs qu'ils exploitaient sans scrupules ont commencé à réclamer leur part du progrès. D'où un clivage politique durable de nos sociétés, qui empêche encore, en France, une culture du consensus. En même temps, la violence de la colonisation se déployait à l'encontre des pays dotés des ressources dont l'ogre industriel et capitaliste avait besoin pour grandir.

Un siècle plus tard, vers 1914, on vivait déjà nettement mieux dans nos pays industrialisés, mais pas vraiment ailleurs sur la planète. Le nombre d'humains avait à peine doublé, l'espérance de vie atteignait quarante ans (plus de soixante en Europe), les chemins de fer, les navires à vapeur se répandaient et les premières automobiles apparaissaient. Les communications modernes naissaient à peine, mais on avait mis au point la mitrailleuse, petite reine des massacres. À ce moment de l'histoire, la Chine et l'Europe faisaient jeu démographique égal : autour de 420 millions. Les États-Unis s'étaient hissés à 90 millions, l'Afrique à peine plus et l'Amérique latine à seulement 75 millions.

Ce xxᵉ siècle a été vécu sous tensions : hécatombes guerrières et révolutionnaires, suivies d'un face-à-face de plus de quarante ans entre deux blocs aux systèmes politiques ennemis, chacun capable d'annihiler l'autre et une bonne partie de la planète avec.

Pourtant, ces violences sans précédents historiques n'ont guère enrayé les bouleversements démographiques et économiques. À l'orée de notre xxıᵉ siècle, les communistes étant tombés dans les poubelles de l'histoire que leur avait promise Trotski, l'Occident n'en est pas moins en train de voir sa suprématie contestée et affaiblie. Pendant ce temps, l'appel irrésistible de la prospérité matérielle et la double explosion démographique (natalité et longévité) ont lancé, enfin, le véritable enrichissement du monde, qui ne va faire que croître. Depuis l'an 2000, la richesse mondiale a progressé de 70 % (*World Wealth Report*).

Ce qui, en passant, confirme un démenti flagrant à Malthus, lequel, en 1800, prédisait que le monde, qui ne comptait pas alors un milliard d'habitants, ne pourrait nourrir la croissance de la population. Elle a pourtant depuis septuplé et plus que doublé en durée de vie.

Pour que cet enrichissement du monde prenne toute son ampleur, les progrès technologiques et financiers de notre époque, pourtant inouïs, n'auraient pas suffi. Il fallait une paix durable, la liberté d'entreprendre, la parité des deux sexes et surtout la généralisation de l'instruction. Toutes conditions qui, bien qu'imparfaitement, sont devenues courantes autour du globe. Là encore, les riches en ont plus que les autres tiré parti. Mais on a en même temps réalisé que la montée en nombre et en puissance de ces derniers n'était pas une retombée intempestive du progrès, mais un signe de la vigueur de ce dernier.

La croissance économique enfin supérieure à celle de la population

Car, pour la première fois dans l'histoire, la croissance économique surpasse désormais celle de la démographie. Les raisons en sont assez évidentes. Dans tous les pays émergents actuels, les taux de fécondité des femmes se sont effondrés, tandis que le niveau d'éducation progressait. Le niveau de vie s'élève donc partout. Les inégalités sont loin d'avoir disparu, mais elles ont changé d'épicentre. Au siècle dernier, elles étaient considérables entre les nations et se réduisaient à l'intérieur de nos pays alors en plein développement. Les flux se sont maintenant inversés. L'écart entre les pays se comble visiblement, puisque les vieux champions voient leur taux de croissance se traîner, tandis que les jeunes puissances avancent deux et trois fois plus vite. Mais, pendant ce temps, les inégalités à l'intérieur de nos pays s'accroissent à nouveau de manière préoccupante. Les bénéfices que nos populations avaient tendance à considérer comme acquis sont remis en cause.

Il y a vingt ans, on vivait vingt fois mieux en Europe qu'en Chine. L'écart a déjà diminué de moitié. Car les pays émergents sont en train de traverser, à leur tour, leurs Trente Glorieuses, nées en Europe de l'immense besoin d'infrastructures et de l'aspiration à la consommation. Cette période est derrière nous. L'endettement pèse si lourd que les pays européens et les États-Unis remettent en cause la poursuite des programmes d'équipement, comme en France les lignes de trains à très grande vitesse et les soutiens sociaux. En même temps, les consommateurs ressentent une pléthore de tous les produits. Certes une minorité de défavorisés en manque encore cruellement, mais leur nombre, hélas pour eux, ne leur permet pas de peser dans le débat politique.

C'est peut-être une coïncidence, plus qu'une loi économique, mais voici qu'après, justement, trente ans de croissance échevelée (entre 8 et 10 % par an), la Chine connaît ses premiers ralentissements, couplés avec un endettement intérieur dangereux. Mais les autres pays du Sud-Est asiatique, comme la Malaisie, la Thaïlande ou le Vietnam, n'ont pas encore vécu de telles alertes.

Il sera d'ailleurs intéressant d'observer, au long de ce siècle, si les pays émergents suivent le même schéma de développement que nous. Pour l'instant, cela y ressemble, mais les échelles et les conséquences sont déjà tout autres.

La croissance profite aux riches, certes, mais également aux pauvres. L'un des plus spectaculaires bénéfices du développement est la réduction de la misère du monde. La définition de la limite de l'extrême pauvreté, selon l'ONU, est de disposer de moins de 1 dollar par jour pour vivre. Ce qui nous paraîtrait impraticable selon nos critères de privilégiés. Mais c'était pourtant, jusqu'à il y a peu, la dominante mondiale. En 1935, mon père, le journaliste Émile Servan-Schreiber, revenant d'Inde, de Chine et du Japon, publiait son livre, *On vit pour 1 franc par jour*. Or, à l'époque, le franc valait quatre fois moins que le dollar. Au début du siècle dernier, 70 % de la population mondiale devaient s'en contenter. Aujourd'hui, ce n'est le cas que pour 20 % de celle-ci.

L'ONU avait voté en 2000 un Objectif du Millénaire qui visait à réduire de moitié la part de la population vivant dans l'extrême pauvreté avant 2015. Cet objectif a été atteint avec cinq ans d'avance. C'est si rare pour des programmes d'aide internationaux que cela mérite une analyse. En effet, les mesures prises dans ce but par chaque pays n'auraient pas suffi. Le plus puissant moteur de lutte contre la pauvreté est sans conteste la croissance économique. Or, au tournant du siècle, celle-ci s'est emballée dans de nombreux pays, jusqu'ici en retard sur l'Occident.

Du coup, on a porté le seuil limite de pauvreté à 1,25 dollar par jour. Pas un pactole, mais comme on raisonne en milliards d'individus, les sommes en cause sont gigantesques.

Il reste encore sur la planète 1,4 milliard de personnes qui vivent au-dessous de ce nouveau seuil. Comme dans les années 30. Où est donc le progrès ? Simplement dans le fait qu'il s'agissait alors de 1,4 milliard sur une population mondiale de 2. Les deux tiers de celle-ci étaient donc misérables. Depuis, elle a plus que triplé. Les très pauvres ne sont donc plus que 20 %. On pourrait simplifier en notant que l'accroissement démographique fulgurant de cette époque de l'histoire s'est réalisé sans entraîner davantage de pauvres. Le progrès du niveau de vie global est patent.

En vingt ans, 500 millions de personnes, plus que la population de l'Europe, ont pu s'extraire de la misère. Ce qui n'aurait évidemment pas été possible avec les seules aides gouvernementales au développement, qui ne mobilisent que 0,38 % des ressources des pays riches. D'autant qu'il est maintenant avéré qu'une partie de cette manne étriquée ne parvient jamais aux destinataires, du fait de corruptions, désorganisations et détournements arbitraires. Or, dans l'état actuel de l'économie mondiale, il y a peu de chances que les pays développés se montrent plus généreux à l'avenir. On peut même craindre l'inverse.

Une grande partie de cette pauvreté demeure en Afrique subsaharienne, la zone du monde dont la population va continuer à croître le plus vite. Au rythme actuel, elle devrait doubler en trente ans et atteindre 2 milliards. Mais, durant cette même période, les taux de fécondité de la zone peuvent fortement baisser, puisque la croissance y est désormais élevée et que l'éducation des femmes progresse. Et l'Afrique a largement les ressources nécessaires pour faire vivre sa population, même doublée, si elles sont mieux exploitées. Ce sera d'évidence l'affaire des Africains.

Car la vision traditionnelle de l'amélioration des niveaux de vie des plus pauvres est en train de changer. Les oboles versées par l'aide internationale ne sont pas à la mesure. Les travaux de la Française Esther Duflo et de son mari, Abhijit V. Banerjee, ont renouvelé la pensée économique à ce sujet. Ils ont multiplié des micro-expériences de soutien à des initiatives individuelles dans les régions les plus pauvres, et les résultats ont été probants. Ce qui converge avec d'autres symptômes pour accomplir cette promesse fondamentale et rassurante : l'enrichissement du monde réduit rapidement la pauvreté.

Irrésistibles classes moyennes

Toutefois, la transformation la plus porteuse de conséquences de cette accélération de la croissance planétaire est et sera, de plus en plus, la montée irrésistible des classes moyennes. Celles-ci se recrutent chez les anciens pauvres qui accèdent à un mode de vie décent et à l'éducation pour leurs enfants. Formellement, la délimitation des classes moyennes est variable, tant est grand l'espace entre les pauvres et les riches. Le PNUD (le programme mondial de l'ONU pour le développement), dans un rapport récent, situe les classes moyennes entre 10 et 100 dollars de revenu quotidien. Mais, aux États-Unis, le niveau de la pauvreté descend jusqu'à 12 dollars. À San Francisco, c'est effectivement peu, mais à Dacca c'est déjà confortable.

Pour la Banque mondiale, le seuil de la classe moyenne s'établit autour de 4 000 dollars annuels. Dans beaucoup de pays encore pauvres, on ne peut y parvenir qu'en cumulant deux emplois, dont l'un au moins est non déclaré. Ce qui porte à croire que le niveau de vie réel, dans beaucoup de pays émergents, est supérieur à celui que font apparaître les statistiques officielles.

On considère, au Maghreb par exemple, qu'il faut un revenu supérieur à 400 dollars par mois pour pouvoir entrer dans un supermarché. Renault, de son côté, a calculé que le seuil de revenu mensuel à partir duquel un ménage pourrait envisager l'achat d'une voiture serait de 1 300 dollars en Russie, mais de seulement 1 000 au Brésil et 500 en Inde.

Un des plus puissants organismes de prospective du gouvernement américain, le National Council Intelligence, notait, fin 2012, que, d'ici 2030, « les classes moyennes deviendront le groupe économique et social le plus important dans la plupart des pays ». Dans quinze ans, la majorité des habitants de cette planète appartiendront aux classes moyennes. L'étude citée qualifie ce phénomène de « changement tectonique ».

Non seulement, en effet, c'est la preuve tangible que l'humanité va échapper, dans son ensemble, à la pauvreté – jusqu'ici le destin des trois quarts de ceux qui nous ont précédés –, mais que les modes de vie seront puissamment convergents.

On constate déjà que les nouvelles classes moyennes à Pékin, Moscou, Istanbul ou Brasilia affichent les mêmes aspirations que leurs homologues occidentales en matière de consommation, mais aussi d'éducation, d'égalité des sexes et, plus généralement, de revendications sociales, sociétales et environnementales.

Le régime chinois lui-même est soumis aux pressions de l'opinion pour lutter contre la pollution, libéraliser internet et l'éducation. Partout, les nouveaux temples de la consommation favorisent les comportements consuméristes des aspirants à la prospérité. Pour les entreprises, ce fabuleux marché porte leurs espoirs mondiaux de croissance. Le surgissement de ces classes moyennes à grande échelle débouche sur une convergence planétaire, en train de s'accomplir. Le XXIᵉ siècle sera leur siècle.

Ce qui n'empêche pas, dans le même temps, les classes moyennes occidentales de s'inquiéter, car elles n'ont nullement le sentiment de participer à cette progression historique. Au contraire, surtout en France, elles craignent que les plus vulnérables de leurs membres, du fait d'un chômage réel mais plus encore redouté, ne retombent dans la précarité. Car, dans les pays occidentaux, l'âge d'or des classes moyennes a connu son apogée pendant les décennies de réduction des inégalités. Les conquêtes sociales comme les politiques de redistribution ont fait de ce groupe social, déjà majoritaire chez nous, le chouchou des politiques qui les voient surtout comme le vivier de leur élection. Mais, désormais, elles savent bien que les indispensables efforts de réduction des charges du pays pèseront nécessairement sur elles. Elles sentent donc que leur niveau de vie et leurs avantages sociaux sont sur une pente descendante. D'où leur vulnérabilité aux slogans faciles des populistes et des souverainistes. Si ce qui reste d'ouvriers vote désormais davantage pour le Front national que pour les partis de gauche, c'est que les ouvriers font partie des classes moyennes, mais craignent d'en sortir.

S'il y a moins de pauvres et que la majorité des humains du XXIᵉ siècle avance vers un niveau de vie décent, vive la croissance et mettons tout à son service ! Mais deux obstacles se dressent sur la route de cette dernière : les limites des ressources, qui, d'après le National Intelligence Council, vont se faire durement sentir dans quinze ans, surtout pour l'accès à l'eau et à une nourriture à des prix abordables.

En même temps va se poursuivre une poussée des inégalités, du fait de l'augmentation de la part du patrimoine aux mains des riches. Chaque année, la valeur de celui-ci s'accroît de 7 à 8 %, alors qu'au mieux le PIB mondial ne progresse que de 5 %. Ce qui peut sembler faible sur une année, mais très vite le cumul creuse les écarts au point de mettre en question la cohésion sociale.

La remarquable étude de Thomas Piketty, *Le Capital au XXIe siècle* (Le Seuil, 2013), offre un éclairage nouveau de cette situation. Le cœur de sa thèse se résume ainsi : « La principale force déstabilisatrice est liée au fait que le taux de rendement privé du capital, *r*, peut être durablement plus élevé que le taux de croissance du revenu et de la production, *g*. Cette inégalité implique que les patrimoines issus du passé se recapitalisent plus vite que le rythme de progression de la production et des salaires… Une fois constitué, le capital se reproduit tout seul, plus vite que ne s'accroît la production. Le passé dévore l'avenir… Il est donc probable que l'inégalité redevienne la norme au XXIe siècle, comme elle l'a toujours été dans l'histoire. »

L'économiste pointe que cette tendance est particulièrement accentuée dans nos pays occidentaux, dont la croissance va stagner durablement entre 1 et 1,5 %, pendant que les rendements des capitaux peuvent tourner autour de 5 %.

La Chine, record de l'inégalité

Les dirigeants chinois, à la tête du pays où ce phénomène est le plus évident, constatent que le revenu d'un urbain dans les top 10 % est vingt-trois fois supérieur à celui des 10 % les plus défavorisés. En France, cet écart n'est que de trois fois et demie. Les millionnaires chinois ne sont « que » un million, mais ce 0,05 % de la population détient 40 % de la richesse privée du pays. Inutile d'insister sur le potentiel explosif d'un tel état de fait.

La Chine est aujourd'hui à la pointe de l'inégalité mondiale, trente-sept ans seulement après la mort de Mao ; mais une grande partie des pays qui assurent désormais la croissance globale, comme l'Afrique du Sud et le Brésil, n'en sont pas loin. Partout, sauf, nous l'avons vu, en France, l'indice Gini qui mesure les inégalités dans un pays monte inexorablement depuis trente ans, même en Suède.

La concentration des patrimoines entre les mains des plus riches est impressionnante. Il est bon de rappeler qu'aux États-Unis les 20 % du sommet de la pyramide captent 93 % des avoirs financiers. En France, 10 % possèdent 62 % de la richesse nationale. En Suède, les

1 % les plus aisés disposaient de 23 % des revenus il y a trente ans, aujourd'hui leur part est passée à 46 %.

Un double mouvement des inégalités mondiales caractérise donc notre début de siècle. Pendant qu'elles se réduisent entre les nations, elles s'accroissent à l'intérieur de chacune d'entre elles. En dehors de toute appréciation morale, ce phénomène pose deux questions réalistes : est-ce politiquement et socialement dangereux ? Cela a-t-il des inconvénients économiques ?

Les risques politiques se situent à l'intérieur de chaque pays. Les équilibres entre nations ne sont pas menacés. On a vu des révoltes au Brésil, nées d'une protestation contre des transports inadéquats, en Espagne du fait du chômage, en Grèce contre les excès d'austérité. En Chine, conflits sociaux et révoltes rurales se comptent par centaines chaque année, mais ne sont évidemment pas médiatisés. Dans les pays en croissance, ces mécontentements peuvent encore se traiter par quelques largesses des pouvoirs publics. Mais dans nos nations endettées, où il n'y a plus de grain à moudre, le sentiment d'injustice, avec ses conséquences politiques populistes, gagne. Globalement, malgré la croissance du PIB mondial à un rythme sans précédent, la situation sociale est tendue et le restera longtemps.

Sur les conséquences économiques des inégalités croissantes, des thèses opposées s'affrontent. Dans la tradition anglo-saxonne affirmée par des penseurs anglais dès le XVIIIe siècle, l'inégalité stimule la croissance du fait du désir des moins favorisés de progresser. Ils travaillent donc plus dur pour disposer d'un meilleur revenu. Arguments repris par les partisans du libéralisme qui, pour le moment, tiennent le haut du pavé. En même temps, l'inégalité bloque la mobilité sociale puisque les plus modestes n'ont pas les moyens de donner à leurs enfants le niveau d'éducation qui leur permettrait d'échapper à leur condition. Un des signes les plus préoccupants de cette panne socio-éducative est le sentiment croissant, aux États-Unis comme en Europe, que les enfants vont vivre moins bien que leurs parents. L'inverse de ce qui avait entretenu l'optimisme pendant les années de forte croissance.

Pour tenter d'éclaircir ce débat, le magazine *The Economist* a consacré un numéro spécial à la question fin 2012. Très documenté, il comporte des études par pays et par continent. Mais *The Economist* reconnaît en conclusion qu'il est aujourd'hui difficile de trancher entre les deux thèses. Les économistes ne sont pas d'accord entre eux sur l'impact, du moins à court terme, des inégalités sur la croissance. Il reste toutefois quelques domaines où, selon les journalistes britanniques, des mesures devraient être prises pour raviver une fluidité sociale qui est un peu partout menacée. Lutter contre la connivence et le favoritisme au sommet des États, prendre des mesures pour rendre l'enseignement supérieur de qualité accessible à tous.

Sur le premier point, on a constaté dans la Russie post-soviétique, l'Afrique du Sud post-apartheid, ou l'Iran post-Khomeiny et dans tous les régimes autoritaires, que l'on y distribuait les prébendes et donc les fortunes aux plus proches des dirigeants, y compris leur famille. Presque tous sont devenus millionnaires, et plus d'un, milliardaires en dollars. Inévitablement, la population le sait et le mécontentement gronde, quelquefois explose.

Le plus frustrant socialement est l'inaccessibilité accrue des enfants de milieux modestes aux meilleures études, du fait de leurs coûts croissants. Certes on distribue davantage de diplômes, mais leur nombre même, comme le bac à 85 % en France, les dévalorise aux yeux des recruteurs. Seuls quelques établissements particulièrement sélectifs sortent du lot et ceux-là sont hors de prix.

Ces inégalités se creusent désormais dans presque tous les pays du monde. Il est encore difficile de savoir si elles constituent, à terme, un risque de rupture du tissu social. Pour le moment, elles créent un malaise qui contribue au minimum à un désintérêt pour les affaires publiques et à un chacun pour soi qui fractionne les sociétés. Pour qu'il contribue vraiment à une amélioration du bien-être général, l'enrichissement du monde ne peut se limiter à une progression globale des revenus.

5
Les besoins des riches

De nombreuses enquêtes ont montré que lorsqu'on demande à des individus combien il leur faudrait pour vivre bien et se sentir en sécurité, les réponses tournent autour de : « le double de ce que j'ai », en rémunération ou en patrimoine. Qu'ils soient ouvriers qualifiés ou millionnaires, la réponse est la même. Vouloir deux fois plus peut paraître énorme mais montre aussi que nous fixons des limites à nos rêves.

Que de fois les gagnants au Loto ou à l'Euromillion affirment-ils, du moins au début, que cela ne changera pas tellement leur mode de vie, mais qu'ils vont s'acheter une belle voiture ou peut-être arrêter de travailler. Ils se trouvent dans un double embarras : ils ne se sont jamais concrètement imaginés riches et ils ont le sentiment de n'avoir rien fait pour mériter cette fortune, sinon d'acheter un billet. On ne s'improvise pas riche facilement.

Mais en général, dès la génération suivante, les riches trouvent leur situation normale. Et souvent même, de naissance, au point d'avoir du mal à imaginer comment vivent les autres.

Le plus souvent, parce qu'ils ont tant fait pour gagner leur argent, ils ont tendance à penser qu'ils l'ont mérité. Tous sont néanmoins confrontés à la même question : qu'en faire ? Ceux qui lisent ces lignes penseront peut-être, in petto : « Moi je saurais. » Ce n'est pas si évident puisque les réponses varient entre deux extrêmes : tout claquer dans une fête permanente (il faut avoir la santé) ou tout donner pour ne pas se sentir noyé par sa richesse.

Un vrai choix existentiel. Ce n'est pas un hasard si quelques philosophes se sont posé la question, à commencer par Diogène, vivant dans un tonneau, qui décide de casser sa seule gamelle en voyant un enfant qui réussissait à boire à la fontaine entre ses mains. Ou encore l'un des grands penseurs du XXe siècle, Ludwig Wittgenstein : né dans une famille opulente de sidérurgistes, il décide, à vingt-cinq ans, de se défaire de sa part de l'héritage paternel. Il en fait don à ses frères et sœurs, déjà richissimes, en expliquant que des pauvres seraient trop perturbés par cette fortune, alors que ses proches y étaient habitués. On ne saura jamais si les pauvres auraient été vraiment incapables de s'adapter.

Plus récemment, l'historien des religions Odon Vallet, héritant à quarante-deux ans de 100 millions d'euros, en fait don pour offrir des bourses à des étudiants africains et asiatiques. Intellectuel habitué des médias, il n'a rien contre la notoriété, du moment qu'elle est due à ses mérites propres. Il ne voulait sans doute pas que l'on voie d'abord en lui un riche.

Comment vivent les riches, où habitent-ils, qui fréquentent-ils, quels sont leurs gadgets, où les rencontre-t-on, etc. ? De quoi entretenir des bataillons de reporters et paparazzi à longueur d'année, pour remplir d'innombrables pages de magazines ou de sites web. Mais le bling-bling n'est que la face émergée et la moins intéressante de l'iceberg en or. Les vrais riches tendent plutôt à la discrétion, pour ne pas être importunés dans la rue, dans les médias, ni par les inspecteurs du fisc.

Il est vrai que l'étiquette de riche n'est pas facile à porter. Le mot est en soi polémique en France, presque une stigmatisation. En anglais, on tamise souvent par un vocable plus neutre, *affluent*. En français, on cherche encore. Quand l'Insee a consacré sa première étude aux plus riches, en 2007 seulement, elle l'a intitulée « Hauts revenus ». Un euphémisme incomplet, car pour beaucoup d'entre eux, leur patrimoine est bien plus significatif que leurs revenus.

Mais savoir comment vivent les riches présente un intérêt, celui de se rendre compte que ces derniers ne sont que des humains avec des besoins de base identiques aux autres, mais que, grâce à leurs moyens, ils se montrent plus raffinés ou extravagants, selon leurs goûts et leur niveau d'éducation.

L'approche la plus simple et éclairante des besoins humains est la célèbre pyramide de Maslow, le père de la psychologie humaniste, qui s'intéressait à ceux qui vont plutôt bien, pour qu'ils aillent encore mieux. Elle comporte cinq niveaux qui, du plus basique au plus élaboré, décrivent les progrès possibles de l'espèce comme de chaque individu. Ce sont, de la base au sommet : les besoins physiologiques (se nourrir, se vêtir), de sécurité (être logé, soi et les siens, et chauffé), d'appartenance (faire partie d'un groupe, d'une famille, d'une tribu), d'estime (s'accepter, être reconnu par d'autres), enfin d'accomplissement de soi (créer, se réaliser, s'engager, laisser une trace, etc.). Au cours de l'histoire, ces besoins restent constants mais varient en intensité selon la psychologie de chacun et, bien sûr, les moyens disponibles pour y répondre. Sur ce dernier point, les riches sont évidemment dans une situation intéressante, puisqu'ils disposent d'infiniment plus d'options et de choix que la masse de leurs contemporains.

Souvent ils sont précurseurs et manifestent désirs et besoins qui deviennent quelquefois, avec l'enrichissement et le progrès technique, le quotidien de tous. Il y a un siècle, ils étaient les premiers à posséder des automobiles. Mais celles-ci étaient bruyantes, inconfortables, tombaient en panne, crevaient et avaient des accidents. Sauf les Rolls-Royce. Aujourd'hui, les plus petites de nos voitures sont plus silencieuses, mieux chauffées, plus sûres que les Rolls d'antan. Et infiniment moins chères.

Donc les produits ou services recherchés par des humains qui n'ont guère de limites à la satisfaction de leurs besoins sont des signes précurseurs pour le marketing des entreprises.

Besoins physiologiques : Les riches sont bien nourris et bien soignés. Naguère, ils étaient souvent gras, un moyen de montrer qu'ils avaient accès à toute la nourriture qu'ils voulaient. Les menus des dîners chez les riches des siècles récents, avec leurs douze plats, nous tueraient assez rapidement. D'ailleurs, ils ne vivaient pas particulièrement vieux. Désormais, ils sont à la pointe de la diététique, mais les aliments les plus sains, légumes en toutes saisons et poissons, sont coûteux. Ils aiment les bons restaurants et sont capables de prendre un avion pour aller en essayer un nouveau à Londres ou Copenhague. Une addition à 300 euros par personne, voire 500 dollars à New York, ne leur pose évidemment pas de problème.

Ils sont plutôt en forme, car ils consacrent du temps à s'entretenir. Certains ont des coachs qui parfois les accompagnent dans leurs déplacements pour les suivre au jour le jour. Les riches ont lancé la mode des spas, de plus en plus luxueux, où ils se font masser, utilisent des machines de musculation et font des longueurs de piscine chauffée en toute saison. Personne ne songerait, désormais, à ouvrir un hôtel international sans son spa.

Il se crée, de plus en plus, des établissements entre le spa et la clinique, où les riches vont une ou deux fois par an, en cure de remise en forme, avec nourriture calibrée, voire pas de nourriture du tout. On ne mange rien et on le paie très cher. Mais cela redonne du tonus à ceux qui se sont enfermés là pour se donner le courage de moins manger.

Les riches sont surtout l'objet de tous les soins. Heureusement, de nos jours, surtout en France, tout le monde peut avoir accès aux meilleures techniques médicales, car l'hôpital, si coûteux pour le contribuable, est gratuit ou presque quand celui-ci devient un patient. C'est l'un des progrès les plus déterminants de la modernité, celui qui console le plus des impôts élevés. Il n'en est pas de même partout, surtout aux États-Unis où l'on ne vous accepte pas à hôpital sans avoir enregistré votre carte de crédit. Mais, en France ou au Royaume-Uni, pour avoir accès à la santé gratuite, il faut attendre, des mois peut-être, pour une opération ou une simple IRM.

Les riches n'attendent pas, car ils s'adressent à des cliniques privées, dont la plus cotée est l'Hôpital américain à Neuilly, à 1 000 euros la nuit. Laquelle n'est pas davantage remboursée qu'une chambre au George-V. Et quand les meilleurs soins opératoires sont à l'hôpital public, ce qui est souvent le cas, les patients fortunés s'adressent aux chirurgiens hospitaliers dans leur quota de pratique privée. Ils sont reçus tout de suite, mais c'est payant.

Si besoin est, les malades peuvent aller consulter à l'étranger, dans des établissements ultra-spécialisés. Le plus important, de nos jours, pour rester en bonne santé est d'être bien suivi et informé. Pour leur santé comme pour leurs finances, les riches ont les meilleurs conseils et accès aux meilleurs réseaux.

Besoins de sécurité : Il ne s'agit pas seulement d'avoir un toit au-dessus de la tête, mais d'y trouver un bien-être optimal. Avoir des moyens, c'est d'abord disposer d'espace, de préférence dans une maison (variante urbaine, l'hôtel particulier) avec jardin et au calme. On en trouve dans tous les quartiers cossus de par le monde. Mais cela peut mener très loin dans l'extravagance, que les hyper-riches peuvent s'offrir. On ne résiste pas à narrer une anecdote.

En 1889, George Vanderbilt, dont la famille avait fait fortune en quadrillant les jeunes États-Unis de chemins de fer, se fait construire à Blue Ridge, en Caroline du Nord, son palais, le Biltmore. Il a fallu, pour cela, 1 000 ouvriers pendant six ans. Résultat : 250 chambres sur 16 000 m². Cette demeure, copiée sur les châteaux de la Loire, était trois cents fois plus vaste que la maison moyenne à l'époque. Il y avait le chauffage central, une piscine couverte, un bowling, des ascenseurs et un système intercom. Les habitations courantes aux États-Unis n'avaient alors ni l'électricité ni même l'eau courante.

Un siècle plus tard, Bill Gates réalise sa maison à Seattle. Elle est évidemment connectée à toutes les technologies les plus avancées. Mais, avec ses 6 000 m² et seulement 7 chambres, elle n'est que trente fois plus grande que la maison américaine moyenne. Elle est estimée à 113 millions de dollars. Il l'a appelée Xanadu, le nom du manoir de *Citizen Kane*. Mais, dans le même temps, le confort le plus raffiné est devenu accessible, même à de simples millionnaires.

En dehors de l'industrie et des affaires, les maisons sont, de tout temps, le principal investissement privé des riches. Partout flambent les prix de l'immobilier haut de gamme ou de luxe, car les riches se font concurrence sur le meilleur et le rare.

Ils assouvissent, avec de telles demeures, un besoin qui vient souvent avec l'argent, le prestige du lieu d'habitation : les plus belles maisons dans les quartiers les plus cotés. Se construire une résidence d'exception a de tout temps été le premier réflexe des riches, comme le monument de leur opulence.

Que serait Louis XIV sans Versailles ? Un roi qui a fait la guerre et favorisé Molière et La Fontaine. Son château n'était même pas terminé quand il est mort, mais il a assuré sa postérité, comme Chambord pour François Ier.

Le château à la française reste un fantasme pour les riches. Chez nous, ils n'ont aucun mal à s'en offrir, puisque la France en regorge (environ 11 000) et même pour relativement peu cher, les coûts d'entretien et de maintenance étant en revanche prohibitifs.

Faute de disposer de châteaux d'origine, certains riches Chinois ou Japonais font comme Vanderbilt : ils en font copier chez eux. Un groupe pharmaceutique chinois n'a pas hésité, pour son siège social à Harbin, à se construire un Versailles, galerie des Glaces comprise.

Ce qui a fait monter si vite les prix de l'immobilier de luxe, depuis le début du siècle, c'est la masse croissante d'argent disponible partout dans le monde entier. Tandis qu'il n'y a qu'un seul Londres ou Paris, Nice ou Palm Springs, ou Courchevel. Très vite, les prix au mètre carré atteignent des montants absurdes, au regard du plaisir d'y vivre. Comme des tableaux de Picasso ou Van Gogh ou Rothko ou Keith Haring, ces sommes astronomiques témoignent surtout de la capacité de leurs propriétaires à se les offrir. Quitte à ne pas s'en servir. Bien des appartements parmi les plus chers de Mayfair, à Londres, restent inoccupés par leurs propriétaires russes ou émiratis, comme la majorité des tableaux d'un collectionneur, tel Francois Pinault, qui restent dans des remises, faute de murs pour les exposer.

Pour assurer leur sécurité, les plus notoires des riches vont jusqu'à se doter d'une garde rapprochée. Dans les années 70, du temps des Brigades rouges ou de l'enlèvement du baron Empain, la peur régnait. De riches Italiens préféraient mettre leurs enfants en sécurité à Londres ou dans un pensionnat suisse. Certains banquiers, en France, étaient presque contraints par les assurances ou la police de prendre des précautions compliquées : garde du corps, itinéraires imprévisibles pour simplement aller au bureau, où il leur fallait arriver dans un parking souterrain sécurisé.

Un phénomène croissant se développe, le regroupement des plus fortunés dans des communautés construites pour eux, avec tous les services imaginables et surtout enclos et protégés, les *gated communities*. De Shanghai à Mexico, en passant par le Texas et la Floride, ce confinement les rassure. Même s'il leur arrive de se demander si les avantages de la richesse valent la perte de leur liberté de mouvement.

Par extension, on observe que la fortune peut rendre inapte à vivre simplement. Certains, le soir de congé de leur cuisinier, préfèrent aller au bistrot plutôt que de se faire une omelette. D'autres ont recours à un intendant pour passer les instructions quotidiennes au jardinier ou au chauffeur. Quand on a plusieurs maisons et donc des dizaines de personnes à son service, surveiller cette petite entreprise toute personnelle nécessite un emploi à plein temps. C'était le rôle de ces incomparables butlers anglais que l'on voit dans *Les Vestiges du jour* ou *Downton Abbey*.

Récemment, aux États-Unis, se sont développées des formations pour *household managers*. Ces derniers doivent être aussi compétents en informatique qu'en droit du travail ou en planification de voyages et, bien sûr, être plurilingues. Ils recrutent et gèrent le personnel de service. Veillant à toute heure au parfait déroulement de la vie quotidienne de leurs patrons, ils peuvent gagner jusqu'à 100 000 dollars par an.

Mais le principal souci pratique des riches reste de gérer leur argent. Un métier en soi, devenu de plus en plus technique, au gré de la financiarisation. Celle-ci crée des instruments compliqués à comprendre ; il s'y ajoute la nécessité de surveiller les opportunités et risques dans le monde entier, et bien sûr la complexité fiscale constamment changeante.

Les riches ne peuvent pas davantage se passer de deux sortes de spécialistes, les gestionnaires de patrimoines, qui jardinent leurs avoirs au jour le jour, et les Family Offices, qui prennent en charge le quotidien de leur vie financière et administrative. On finit par vivre en osmose avec les services de sa banque, qui peuvent aller, pour certains, jusqu'à leur réserver une loge à la Scala, ou à louer leur bateau de croisière.

La richesse permet presque tout, mais pas dans l'insouciance.

Besoins d'appartenance : « Le propriétaire de la terre est nécessairement citoyen d'un pays, celui où se situe son domaine. Mais celui qui possède des actions est citoyen du monde, indépendamment de tel ou tel pays. » Dès 1776, Adam Smith l'écrivait dans sa *Richesse des nations* qui est un peu l'Ancien Testament du libéralisme. Désormais la richesse n'est plus liée à la terre, elle est devenue apatride. Les militaires appartiennent à l'armée, les médecins à la faculté, les professeurs à l'université, les avocats au barreau, les politiques à un parti, mais les riches ?

Quand ils travaillent dans une entreprise, ils y trouvent des équipiers et une carte de visite avec une « raison sociale » bien nommée. Mais à moins d'être un entrepreneur, un peu chef de bande, on ne s'y fait pas nécessairement des potes. Souvent, d'ailleurs, du fait de carrières internationales, on change de lieu et donc d'environnement humain plusieurs fois dans une vie. C'est désorientant de se couper, tous les cinq à sept ans, d'un milieu où l'on a pris ses habitudes. Enfants, changer d'école et quitter nos copains nous faisait fondre en larmes.

L'exil est une peine cruelle. Que penser alors de l'exil fiscal, cette absurdité contemporaine, toujours volontaire, qui revient à se retrouver dans une communauté confinée d'homologues qui ont préféré l'optimisation de leurs sous au maintien de leurs liens humains et culturels ? Comme le note Thierry Pech, auteur de l'excellent *Temps des riches* (Le Seuil, 2011) : « Je connais beaucoup plus d'exils tristes que d'exils heureux, sauf pour ceux qui mettent l'argent en tête de leurs valeurs. Devant les amis, les lieux, les souvenirs, la culture, la famille, le pays... »

Pour devenir riche, point n'est besoin d'avoir un niveau culturel ni même intellectuel élevé. Il peut suffire d'être malin, déterminé, inventif, un peu monomaniaque, ou bien sûr héritier. Les grands patrons ou banquiers ou traders ont souvent fréquenté les meilleures écoles de management. Ils y deviennent savants dans l'art de faire fonctionner les systèmes, de jongler avec les chiffres clés, d'élaborer des stratégies pour obtenir ce qu'ils visent. Mais ça n'élargit pas le champ de vision, ni humainement ni culturellement. Certains s'en passent très bien et peuvent se contenter d'appartenir à des communautés sportives. Les golfeurs riches se retrouvent sur les greens du monde entier. Et lorsqu'ils dînent ensemble le soir, ils ont un sujet de conversation tout trouvé : leur parcours de la journée. De même pour le ski, le surf, le polo ou, plus rarement dans ces milieux, la pétanque.

Une mention toute spéciale pour une activité de loisir qui demande de tels moyens qu'on s'y retrouve forcément entre riches : le yachting. Pas une étude sur les top riches qui ne consacre aux gros bateaux une place substantielle, tant il semble que ces derniers répondent aux besoins de leurs propriétaires : soit arriver en tête dans un domaine différent, la régate ; soit s'exhiber en milieu sélect, partout où les mers peuvent les porter.

Version sport, ce sont les grands voiliers de course menés par des équipages que l'on s'arrache comme des footballeurs internationaux. Car pour l'emporter dans une course aussi prestigieuse que l'America's Cup ou la Rolex Cup, il faut des skippers tout aussi exceptionnels que les voiliers qu'ils manœuvrent. L'avantage est que le boss, celui qui paie et qui recrute, peut quelquefois tenir la barre, laissant le reste à son équipage. Ces voiliers coûtent un minimum de 1,5 million d'euros pour une coque d'occasion, jusqu'à dix ou vingt fois plus en neuf. Ce qui n'est rien à côté des frais d'entretien. Le tout est financièrement très sélectif.

Le baron Bich fut ainsi le premier Français à participer à l'America's Cup. Aujourd'hui, on peut croiser au port Benjamin de Rothschild, Nicolas Seydoux, Claude Perdriel, pour ne citer que quelques Français. Cette communauté sous voile demande à la fois des qualités sportives et des poches très profondes. Une élite.

Mais le gros yacht à moteur, assez dédaigné par les fans de voiliers, porte peut-être à son paroxysme la tendance au clinquant de certains riches. Pas besoin de qualités sportives ou d'endurance, un coffre-fort suffit. D'où l'afflux des oligarques russes dans les chantiers navals, où le coût minimum de ces gros navires commence à 1 million d'euros le mètre. La principale course n'est plus alors la vitesse, mais la longueur. De nos jours, au-dessous de 50 mètres, on passe inaperçu au mouillage.

L'idéal pour jouir pleinement de la propriété de ces navires est d'en passer commande et d'aller, pendant près de deux ans, régulièrement au chantier pour en discuter chaque détail. Plus d'un trouvent cette phase plus excitante que la navigation qui suivra. Au chantier naval, on se sent créatif et bientôt souverain.

La construction ou la possession d'un tel yacht est une des manières les plus visibles d'afficher, sans pudeur, sa priorité : une fois fortune faite, se faire plaisir. Intéressant, à cet égard, d'observer les choix contrastés qu'ont effectués les deux fondateurs de Microsoft, à partir de leurs dizaines de milliards de dollars. Bill Gates a créé une fondation mondiale qui a, entre autres, changé l'intensité et les résultats de la lutte contre le sida en Afrique. Paul Allen, son associé, s'est offert *Octopus*, le plus grand yacht du monde, 127 mètres, avec terrain de basket et hélicoptère sur le pont. Depuis, la course à la longueur a relégué *Octopus* au rang de 12e navire le plus long du monde. En termes d'appartenance, on s'arrache Bill Gates pour qu'il vienne prêcher la bonne parole, depuis les séances inaugurales d'universités jusqu'aux séminaires annuels de Davos, où il côtoie les dirigeants de la planète. Paul Allen doit préférer l'anonymat et y parvient presque.

Enfin, pour utiliser un yacht sans en être propriétaire, il faut quand même appartenir aux 0,1 % les plus riches. Une semaine sur le *Reborn*, le dernier bateau de Bernard Tapie (75 mètres seulement), se facture un demi-million d'euros.

Pas loin des yachts mais intimement lié à la vie professionnelle des patrons multimillionnaires, la possession ou l'usage d'un jet privé. Il est vrai que c'est l'instrument de travail ultime pour un dirigeant, d'affaires ou politique, dont le temps est par définition compté et insuffisant. Pas d'attentes, pas de correspondances, pas de nuits d'hôtel inutiles après une réunion tardive avant de prendre un vol commercial. Le jet, c'est le rêve d'Icare plus la sécurité, chacun des propriétaires se sent pousser des ailes. Les coûts, achat et exploitation, se chiffrent annuellement en dizaines de millions de dollars. On a calculé que le prix d'un Gulf Stream ou d'un Falcon 900 équivaut aux salaires de cinquante directeurs de haut niveau pendant cinq ans.

Il y a près de 20 000 jets privés en service dans le monde et ils sont en majorité utilisés, achetés ou loués par des entreprises. Mais disposer pour ses besoins privés d'un jet est le nirvana des élites de l'argent. On cite l'anecdote de la fille de l'un d'entre eux qui demandait, pour ses douze ans, de faire un vol commercial pour savoir comment ça se passe avec de « vraies gens » dans de très gros avions. Car l'usage courant d'un jet achève de vous épargner tout contact avec les humains ordinaires. Plus d'un super P-DG, arrivé à l'âge fatidique de la retraite, confie que ce qu'il regrettera le plus, c'est l'avion privé.

Si l'on trouve que la pratique des yachts ou des jets manque un peu d'élévation d'esprit, on peut s'offrir de côtoyer les personnages prestigieux de ce monde, en louant leur présence ou en se cotisant avec d'autres pour le faire. D'où les agences qui assurent à ceux qui en ont les moyens un conférencier de prestige, ou un artiste renommé. Les écouter apporte un zeste de pensée ou une respiration artistique à des réunions entre riches

105

qui sont prêts à payer cher pour qu'on leur parle d'autre chose que d'argent. Les anciens chefs d'État, les solistes cotés ou les auteurs de best-sellers peuvent se faire en une soirée de dix mille à cent mille euros.

Mais les multimilliardaires, peu nombreux, n'ont pas besoin de ces prestations tarifées pour avoir accès aux détenteurs du pouvoir politique ou intellectuel. Quand on s'appelle Arnault, Pinault, Niel ou Leclerc, on voit qui l'on veut, quand on veut. Là, ce n'est plus l'argent qui compte, mais la puissance qu'il confère. Ceux qui l'ont acquise, que ce soit par spéculation, élection populaire ou talent créatif, se rencontrent volontiers entre eux. Ensemble, ils planent au-dessus des foules car ils savent qu'ils peuvent avoir, un jour, besoin les uns des autres.

Besoins d'estime : Pascal l'avait noté : « Nous voudrions tous que le monde entier nous admire. » Les riches aussi et même un peu plus que les autres, car leur ego s'est souvent gonflé en même temps que leur compte en banque. Seulement voilà, on les envie, on admire leur réussite, mais leur fixette, l'argent, manque un peu de noblesse et d'élévation. Dans nos pays nourris de dictons évangéliques, le royaume des cieux ne leur est pas promis. Plus d'un de ces derniers seraient prêts à aligner des dizaines de millions pour un Goncourt, une Palme d'or, une agrégation de philo, un podium, voire trois étoiles au Michelin. La notoriété, ils en ont soif, mais pas seulement celle qui se calcule en monnaies convertibles.

Ils ont quelques substituts à leur portée. Le plus

accessible est une décoration, le Mérite ou, mieux, la Légion d'honneur. Ça ne s'achète pas, mais c'est facilement attribué à quiconque a créé des emplois ou rapporté des devises au pays.

Un cran au-dessus, la tentation de la politique est assez courante. Comme pour Serge Dassault qui, sénateur en plus de tout le reste, a trouvé les moyens (si l'on peut dire) de se faire élire depuis trente ans. En France, contrairement aux États-Unis, être connu comme riche est un handicap pour une vraie carrière politique. Cette porte reste donc étroite.

Le chic du chic est l'habit vert d'académicien. Pierre Bergé a tenté la « Française », mais sans grand succès, car son œuvre littéraire restait indécelable. Marc de Lacharrière fut plus habile à celle des beaux-arts, où il fut probablement élu au titre du mécénat. Mais ce genre de reconnaissance prestigieuse se compte sur les doigts d'une seule main.

Une fois qu'on a fait fortune, on se prend à rêver d'être reconnu pour autre chose que cette réussite trop triviale. Édouard de Rothschild voulait être cavalier olympique, en plus d'être actionnaire de *Libération*. Son niveau équestre était très bon, mais insuffisant pour l'équipe de France. Il s'est fait naturaliser israélien, puisque l'équipe nationale voulait bien de lui comme membre.

Quand on a atteint ses objectifs financiers, il faut bien s'en trouver d'autres, réputés plus exclusifs, car, on l'a vu, être millionnaire est presque devenu banal. Appartenir à un club ou une association où le critère d'entrée n'est pas l'argent permet d'échapper à la masse des riches. Comme les dîners du Siècle en France, dont les deux tiers des convives sont issus de l'ENA, ou le groupe Bilderberg qui réunit, chaque année, des leaders en tous domaines pour parler des relations entre les États-Unis et l'Europe.

Plus moderne, être un *talker* aux célèbres conférences TED (Technology, Entertainment and Design), qui reçoivent ceux qui ont quelque chose d'original à raconter. Choisis, les *talkers* sont entraînés à faire, sur scène et en vidéo, une performance de moins d'un quart d'heure.

Mais si l'on n'a rien de spécial à dire, il reste le mécénat artistique, ou la philanthropie. L'avantage du mécénat est de voir son nom associé à du culturel, de se frotter à des artistes reconnaissants, d'être remercié dans des cérémonies huppées. Aux États-Unis, c'est une véritable industrie, car la culture n'est pas soutenue par l'État. Si l'on paie assez, on aura son nom sur une plaque à l'entrée d'une salle d'un grand musée, d'un amphithéâtre, voire d'une chaire universitaire. Ce sera plus valorisant, à titre posthume, qu'une banale pierre tombale.

Le mécénat, de plus en plus, sera, comme en Amérique, aspiré par les grandes écoles où l'on a fait ses études. Chaque professeur est incité à lever des fonds pour son cours, car dans des universités prestigieuses comme Harvard, Yale ou Stanford, les frais d'études, pourtant fort élevés, ne représentent que le quart du budget de l'établissement. Cela revient à payer ses études toute sa vie, mais votre université vous paiera en témoignages honorifiques. Bref, le mécénat est une générosité à dividendes de notoriété.

Quand il est bien ciblé, il peut transformer votre image de simple riche en un label apprécié. Le meilleur exemple historique n'est-il pas celui d'Alfred Nobel, l'inventeur de la dynamite ? Une source de fortune moyennement valorisante. En créant les fameux prix dotés par l'héritage de son immense patrimoine, il a pu associer, pour la postérité, son nom à ce qui est le plus prestigieux dans ce bas monde et faire oublier la dynamite.

La philanthropie est plus vaste et ne se fait pas toujours connaître. Elle peut se limiter à un don modeste au Téléthon, qui restera anonyme. Mais parmi les fortunes d'importances diverses, il n'est pas rare que ceux qui en jouissent ne sachent guère où orienter leurs velléités généreuses. Des banques ont donc créé le poste de conseiller dans ce domaine, de même que la Fondation de France, qui pourrait avoir comme slogan : « Donnez-nous votre argent, nous saurons en faire bon usage ! » Dans ces domaines, l'humanitaire (nourrir, soigner, soutenir la recherche médicale, adopter financièrement un écolier du tiers-monde, etc.) se taille la part du lion. On a cité Bill Gates, qui a encore mieux réussi sa fondation que son entreprise, un beau défi.

Mais Gates a su faire des émules en convainquant une centaine de milliardaires du monde entier, à commencer par Warren Buffett, aussi riche que lui, de faire don d'au moins la moitié de leur fortune à de nobles causes. Une sorte d'hyper-Fondation de France, avec garantie de reconnaissance internationale et d'allégement de l'éventuelle mauvaise conscience d'être Crésus. Car, comme le note le même Bill Gates : « Après quelques millions, la question devient : comment les rendre ? »

De son côté, agissant en parfaite indépendance, George Soros a consacré l'essentiel de sa fortune (la 30ᵉ mondiale) à soutenir les causes qui lui tiennent à cœur. En trente ans, il a donné 2,4 milliards de dollars en faveur des droits de l'homme, 1,3 milliard pour la démocratie des pays de l'Est dont il est originaire, 1,2 milliard pour appuyer des réformes aux États-Unis.

Entre le mécénat artistique et la défense des humains en souffrance ou en péril, certaines générosités sont plus narcissiques que d'autres. En France, cette préoccupation d'intérêt général existe, mais elle semble moins intense chez les plus riches. Le mouvement lancé par Gates n'y a guère fait d'adeptes.

D'où la singularité du choix d'un Gérard Brémond, premier promoteur européen de vacances, qui a fait don de 80 % de sa fortune, avec l'accord de ses enfants, puisque la loi française interdit qu'on déshérite ces derniers. La fondation Ensemble, créée avec sa femme Jacqueline, soutient des projets d'assainissement et d'accès à l'eau dans des villages pauvres d'Afrique, d'Asie et d'Amérique latine. Mais, discret, il n'a pas médiatisé son initiative, au risque de ne pas se voir imité par d'autres entrepreneurs à succès.

Il faut quelquefois plus d'imagination pour dépenser utilement son argent que pour l'amasser.

Besoin de s'accomplir : Il ne s'agit plus là de notoriété ou d'estime. S'accomplir, c'est une affaire entre soi et soi-même : ai-je bien employé ma vie ? Est-ce que je passe à côté d'un potentiel qui me tient à cœur ? Est-ce que je sais profiter de ce que m'offre l'existence ? Ce n'est pas la même chose que d'avoir atteint les objectifs matériels que l'on s'est fixés.

La réponse, pour les riches comme pour tout le monde, n'est pas forcément éthérée ou philosophique. Si l'on a une vraie passion et qu'on la vit pleinement, on s'accomplit. Certains collectionneurs vibrent dans les ventes aux enchères où ils ont repéré la pièce qu'ils convoitent. Mais que se passe-t-il une fois qu'ils l'ont obtenue ? Un héritier milliardaire, trop blasé, se voulait collectionneur d'automobiles vintage. Au moment où il emportait l'enchère, il avait son flash d'adrénaline, mais une heure plus tard, il l'avait oubliée. Il en avait déjà deux cents. Gérard Brémond, encore lui, a la chance d'être resté un fan érudit de jazz. Il a acheté, à Paris, le Duc des Lombards, un club où il ne se lasse pas d'aller écouter les meilleurs artistes qu'il a convaincus de s'y produire.

Le sport permet de s'accomplir tant qu'il continue à vous procurer des émotions. À cet égard, les riches sont sur le même plan que les modestes. Tout le monde peut s'offrir des sensations fortes en assistant au match de son équipe favorite, ou bien, fortune faite, aller à l'autre bout du monde suivre le Mondial de foot.

Mais il arrive tout simplement que, devenu riche, puis très très riche, on continue à pratiquer activement son activité favorite : faire de l'argent. On sent que des magnats comme Richard Branson, Albert Frère, Vincent

Bolloré continuent à s'amuser en trouvant de nouvelles idées de produits ou de stratégies financières. Pour eux, les affaires, c'est du Monopoly grandeur nature, dont ils inventent les règles au fur et à mesure qu'ils avancent. Comme nombre d'entre nous, ils s'accomplissent dans l'action, une recette éprouvée.

Il reste toutefois une question inévitable pour tous les riches qui ont procréé : que deviennent leurs enfants ? C'est la part de leur accomplissement personnel qui ne dépend que partiellement d'eux. Tant d'enfants nés dans une famille opulente en ont été plombés, dès l'enfance, s'ils n'ont pas compris l'intérêt de l'effort, des études, de faire leur propre vie alors qu'ils savent qu'un héritage leur échoira. Mais d'autres, grâce aux moyens de leurs parents, ont fait des études remarquables sans être abîmés par ce paradoxal handicap de naissance, la richesse. Qu'est-il plus important de transmettre : de l'argent ou des valeurs ? Ou plutôt, comment parvenir à combiner les deux au mieux ? C'est loin d'être le moindre des défis liés à la richesse, comme souvent d'ailleurs celui d'une vie de couple heureuse.

La vraie réussite d'une vie de riche n'est-elle pas de ne pas avoir laissé l'argent contaminer tous les compartiments de son existence ? Beaucoup n'en ont pris conscience que trop tard.

6

La richesse
est-elle morale ?

Un riche peut-il avoir la conscience tranquille ?
Les Français détestent-ils les riches ? Aimer
l'argent pour en faire ou pour en jouir est-il
pathologique ? Peut-on être riche et honnête ? Les
riches iront-ils au paradis ou sont-ils marqués au front
par l'opprobre ? Dès qu'il s'agit de richesse, la morale
et la religion se mêlent confusément à la rationalité.

En France tout particulièrement, imprégnée à la fois
de catholicisme et de tradition révolutionnaire, on se
réclame couramment de la morale judéo-chrétienne.
Mais, concernant l'argent et la richesse, catholiques,
protestants et juifs n'ont pas la même position. Pour
les protestants et les juifs, faire de l'argent est légitime,
mais il faut penser aux plus pauvres et en distribuer
une partie. Les juifs se souhaitent même mutuellement santé et prospérité financière. Pour sa part,
l'éthique protestante a été, selon Max Weber, un puissant ferment du capitalisme, accompagné aussi d'une
forte incitation à la charité.

Les catholiques, eux, sont restés plus fidèles à la

radicalité du Christ, qui voyait mal les riches entrer dans le royaume des cieux. Fidèles, au moins en doctrine.

En pratique, il ne faut pas oublier que c'est la vente des indulgences au XVIᵉ siècle qui a scandalisé Luther, au point de lui faire créer une religion « réformée ». L'Église monnayait alors des certificats garantissant le rachat des péchés de l'acquéreur. Et l'on disait aussi « gras comme un moine » alors que les pauvres manquaient de l'essentiel. Cinq siècles plus tard, pourtant, le discours sur la primauté des pauvres fonctionne encore pour l'Église et le pape François en fait son blason.

Quand on a reçu une éducation, même laïque, dans une terre historique du catholicisme romain, on aura tendance à classer pauvres et riches de manière plus binaire qu'ailleurs. En Asie, en revanche, il n'y a pas de prévention de principe contre la richesse, du moment que cette dernière traite bien les plus défavorisés. Dans nos pays, la religion, désormais, joue un rôle de terreau sociologique plus que de source de la morale et de la loi. Sur quelles bases établir une éthique contemporaine de la richesse ?

Si les critères n'en sont plus directement religieux, peuvent-ils être encore politiques ? La Révolution de 1789 est restée, deux siècles durant, la mère de toutes les références idéologiques, mais aussi des clivages les plus persistants. Son legs, peut-être le plus durable, est le mot « Égalité » au frontispice de la République. Car « Liberté » n'a rien d'original, toutes les révolutions s'en réclament. Quant à « Fraternité », elle demeure, pour l'instant, à venir.

Necker lui-même, pourtant peu porté à l'extrémisme, disait que l'égalité est « l'idée même » de la Révolution. Mais aujourd'hui on vit, selon Pierre Rosanvallon, le défenseur le plus convaincu de l'égalité, « une véritable contre-révolution », car les inégalités s'accroissent et s'accélèrent, sans fortes réactions politiques. « On n'a jamais autant parlé d'inégalités, écrit ce dernier, en même temps qu'on n'a jamais aussi peu agi pour les réduire. » Selon lui, la gauche, sa maison, qui était le parti de l'égalité, est devenue celui de « la dépense publique et de l'impôt ».

Taxer les riches classe à gauche

La diatribe la plus musclée contre la richesse n'était-elle pas celle de François Mitterrand au congrès d'Épinay (1971) : « Le véritable ennemi, c'est celui qui tient les clefs… L'argent, l'argent qui corrompt, l'argent qui achète, l'argent qui écrase, l'argent qui tue, l'argent qui ruine, et l'argent qui pourrit jusqu'à la conscience des hommes ! »

François Hollande s'est limité à un : « Mon véritable adversaire, c'est l'argent » ou à un timide : « Je n'aime pas les riches. » Mais, à l'épreuve du réel, toutes ses initiatives censées les brider – taxation personnelle à 75 % des très hauts salaires, impôt à 60 % sur les plus-values, limitation des rémunérations des grands P-DG – ont été successivement annoncées, puis abandonnées ou édulcorées. Le bras de fer, chaque fois, a tourné en faveur de l'argent.

Les riches servent encore de boucs émissaires politiques au moment des élections, mais de manière de plus en plus rhétorique. Comme un grigri verbal qui permet de prouver que l'on n'est pas de droite. Car, pour les mesures concrètes, le pragmatisme est de rigueur pour les deux partis de gouvernement. Si la droite n'a pas osé abroger l'ISF, la gauche n'a pas plafonné les salaires scandaleux (sauf pour les infortunés patrons des grands services publics que personne ne défend). Concernant les riches, la seule morale politique est électorale. Il faut donner l'impression qu'on les met à contribution, mais sans les faire fuir à l'étranger. On chercherait là, en vain, un socle éthique.

Ni l'Église ni la politique n'ont les moyens de pourfendre les riches, car l'une comme l'autre ont besoin de leur argent. La diabolisation des riches est laissée aux partis contestataires de gauche. Ce qui leur permet de glaner quelques électeurs, mais guère plus. Car, contrairement à l'idée reçue selon laquelle les Français détestent les riches, ils ne leur font pas grief de leurs privilèges. Deux sondages récents en attestent. Celui d'*Enjeux-Les Échos*, en 2012, montre que 89 % d'entre nous pensent que les riches sont utiles à la société. En 2013, dans *Challenges*, l'opinion à l'égard des riches est : 68 % indifférence, 29 % respect, 24 % admiration, 22 % sympathie, et seulement 24 % méfiance et 13 % jalousie Un score plutôt contre-intuitif.

À notre époque, morale et éthique ne découlent

plus de codes inspirés de textes sacrés ni de « commandements ». On a beaucoup commenté le « Si Dieu n'existe pas, tout est permis » de Dostoïevski. Une affirmation déconnectée de la réalité, car moins Dieu est présent, plus nos semblables se font sentir autour de nous. Le besoin d'une morale, d'un code pour vivre ensemble paraît plus que jamais nécessaire. La morale ne définit-elle pas ainsi ce qui est acceptable, ou non, par ceux au milieu desquels nous vivons ? Les nostalgiques de l'absolu le regrettent, car nos normes de comportements deviennent relatives et s'apprécient selon les lieux, les phases historiques et, forcément, le niveau de vie de chaque société.

Une richesse en croissance exponentielle et médiatisée suscite naturellement des réactions collectives qui dessinent les limites de l'acceptable, ici et maintenant. Exemple simple. Dans mon enfance, on nous disait : « Finis ton pain ! » pour nous apprendre à ne pas gâcher. Aujourd'hui où près de 40 % des aliments produits sont jetés et où, accessoirement, on essaie d'éviter que les enfants se bourrent de calories, cette injonction a perdu son sens.

On évoque la « sagesse des foules » pour légitimer une action. Il se constitue de même, chaque jour, une morale des foules, qui s'exprime en permanence sur toutes sortes de médias et de réseaux. Comme la richesse contemporaine, par son ampleur et son impact, interpelle tout un chacun, elle doit prendre en compte cette morale, par nature contextuelle. Que celle-ci évolue selon les époques et les cultures n'est que normal.

On peut tenter d'esquisser ce qui semble aujourd'hui admis ou rejeté dans nos pays développés. Les normes morales actuelles de la richesse se concrétisent autour de trois critères principaux : sa source, son montant et son usage. Souvent un cocktail des trois, dont les proportions varient selon l'histoire personnelle de celui qui formule un jugement.

Héritage : *les pauvres, bouclier des riches*

Les sources traditionnelles de richesse ont toujours posé question, mais nos sociétés s'y sont habituées. La plus contestable, en même temps que la plus enracinée, l'héritage, illustre mieux que toute autre la relativité des normes. Quel rapport entre la transmission d'une ferme familiale à ceux qui l'ont exploitée des générations durant et le legs à un héritier unique, qui n'a jamais travaillé, de dizaines de milliards ? Et pourtant le droit, pour Liliane Bettencourt, de jouir de sa fortune et de la transmettre est garanti par une loi qui est politiquement calibrée pour des millions d'héritages modestes. La transmission est socialement sacrée, et le principe de l'égalité devant la loi protège les plus riches, qui se sont « seulement donné la peine de naître », comme le lançait au comte Almaviva le Figaro de Beaumarchais.

L'héritage bénéficie à plein de la mondialisation, qui ouvre d'infinies possibilités de se jouer des marchés et des législations fiscales pour optimiser les transmissions de patrimoines avec un minimum de droits à payer. Ce qui fait dire à Thomas Piketty que l'héritage, que l'on avait pu croire marginalisé dans les années 60, reprend une importance économique dans notre siècle.

Pour en revenir à l'emblématique Liliane Bettencourt, qui n'a jamais travaillé, ne souligne-t-il pas que sa fortune a progressé en vingt ans au même rythme que celle de Bill Gates, inventeur et entrepreneur ? Un exemple plus symbolique que probant, car la fortune de l'héritière est constituée d'actions de L'Oréal et que, pendant ces vingt ans, ceux qui font L'Oréal ont, eux, bien travaillé.

Dans le domaine des évidences, parmi les sources traditionnelles de richesse, le travail, le talent, la créativité produisent, selon les métiers et les circonstances, des résultats financiers infiniment variés, mais le principe « Toute peine mérite salaire » n'est nulle part contesté. Le débat moral actuel naît de la progression fulgurante des rémunérations, sans que leurs justifications apparaissent.

Il est loin le temps où le banquier Pierpont Morgan déconseillait d'investir dans une entreprise dont le patron touchait plus de vingt fois le salaire d'un de ses ouvriers. Lorsque le revenu annuel d'un P-DG du CAC 40, en France, représente entre 400 et 1 500 années de Smic (rapport Proxinvest 2012), qui n'en serait abasourdi, scandalisé, bref moralement choqué ? D'autant que les arguments généralement invoqués pour justifier de tels montants (normes internationales, risque de perdre les meilleurs, tentés d'émigrer) sont d'une faiblesse insigne et non démontrée. La réalité est plus simple : ces montants découlent de la connivence entre les administrateurs, qui votent les rémunérations du patron, et ce dernier, qui les a choisis et leur sert des jetons de présence sympathiques.

L'affaire des rémunérations d'Antoine Zacharias, ex-P-DG de Vinci, avait, dès 2005, mis ces connivences sous le projecteur de l'opinion. Il avait évincé de son conseil d'administration trois de ses membres qui s'opposaient au déplafonnement de son salaire, pour les remplacer par de plus complaisants. Contraint, par la suite, de quitter la direction de Vinci, il toucha un parachute doré de 12 millions d'euros et une retraite garantie de la moitié de son salaire, 2,5 millions par an. Pour une fois, la brigade financière l'a fait condamner pour « abus de pouvoir », une première à l'encontre d'un haut gradé du CAC 40. Mais l'amende n'était que de 375 000 euros, une aumône au regard des montants en cause.

Devant ce genre de scandale, la réaction politique se borne à préconiser la publication, nominative, des montants des plus gros salaires et avantages. Ce qui revient à mettre le jugement en délibéré devant l'opinion. Mais ces salariés hors normes sont moins sensibles à leur cote de popularité dans le public qu'à l'opinion de leurs actionnaires et des marchés. Lesquels sont de plus en plus sensibilisés aux excès commis avec leur argent, qui peuvent nuire à l'image de l'entreprise.

Mais les actionnaires, souvent représentés par des

associations de défense, n'ont pas encore un pouvoir de nuisance efficace face à des patrons bien conseillés et bien préparés par des cabinets spécialisés dans la gestion des crises médiatiques.

Les riches n'aiment pas la transparence

Le talon d'Achille des riches est plus moral que légal, c'est l'exigence croissante de transparence. Même si les puissants sont bien équipés pour se défendre, être, même brièvement, soumis à un pilonnage médiatique, comme le fut Bernard Arnault pour ses velléités de devenir belge, ternit un peu trop à leur goût leur précieuse image de champions enviés.

Les manières de devenir riche se sont rapidement diversifiées grâce à la sophistication financière. Leur complexité même rend difficile d'apprécier moralement un mécanisme que l'on comprend mal. L'affaire des *subprimes* de 2007, déclencheur de la crise actuelle, a mis un temps à être analysée dans le détail ; ce n'est pas tant le système financier qu'a condamné l'opinion, mais le fait que pour gagner des sommes énormes, des banquiers ont mis des millions de gens à la rue.

La mise en cause morale franchit des degrés selon la nature des faits. Gagner de l'argent non justifié à proportion de son travail, quelle qu'en soit la nature, est réprouvé, mais sans grandes conséquences. Les citoyens n'en veulent pas personnellement à Liliane

121

Bettencourt de dilapider des milliards. Mais quand il y a des victimes, l'illégitimité est amplifiée par le sentiment d'injustice.

Quand Madoff escroque des gens assez riches pour lui confier des fonds à gérer, on ne s'apitoie pas. Mais quand des petits propriétaires pauvres et crédules perdent leur toit familial, l'indignation rejaillit sur tous les métiers d'argent. Au moins quelque temps, jusqu'à ce qu'un autre scandale fasse oublier celui-ci.

Les moyens de faire beaucoup d'argent ont toujours existé, et les jugements moraux à cet égard restent déterminés par deux critères : l'exploitation des autres qui a toujours été condamnée, que ce soit l'usure qui, de tout temps, a créé des fortunes sur le dos des pauvres, le proxénétisme ou l'infinie variété de l'exploitation de la faiblesse, de l'ignorance ou de la crédulité d'autrui. Plus véniel, mais mal vu, l'enrichissement indu : rentes de situations, héritages, flambée spéculative imprévue, ou même travail rémunéré sans rapport avec l'effort ou le mérite.

Sur ce dernier point, le XXIe siècle est riche d'opportunités nées de multiples nouveautés spéculatives. La financiarisation focalise donc toutes les critiques, car elle revient à préférer faire de l'argent avec de l'argent, plutôt que de produire des biens et des services utiles à la société.

Devant ces reproches récurrents, les banquiers s'insurgent et rappellent, à juste titre, qu'ils ont toujours joué un rôle indispensable en finançant aussi bien les développements des entreprises que les prêts aux particuliers. Mais ils doivent tenir compte du fait que la financiarisation mondiale a permis aux banques d'engranger plus de profit à partir de spéculations financières qu'en remplissant leurs fonctions économiques traditionnelles.

Le débat moral se complexifie en même temps que l'invention financière contemporaine. Les banques ou fonds de placement, qui maximisent leurs profits à partir d'opérations spéculatives, arguent qu'elles le font pour enrichir leurs clients. Pour les unes, leurs actionnaires, pour les autres, souvent des retraités qui les chargent de faire fructifier les capitaux garants de leurs pensions ou leurs économies. C'est défendable et cela met bien en lumière la difficulté de porter un jugement moral sur le fonctionnement du capitalisme.

Quelle finalité pour l'entreprise ?

N'a-t-on pas vu ainsi, au cours du dernier siècle, se complexifier la finalité de toute entreprise ? Est-elle redevable à l'égard de son créateur et patron sans qui elle n'existerait pas, des salariés qu'elle fait vivre, de la région où elle est implantée, des consommateurs à qui elle vend ses produits, de ses créanciers, donc aussi de ses banquiers auprès de qui elle a contracté des dettes ? Répondre qu'elle est responsable devant un peu tout le monde ne tient pas quand vient le moment des choix difficiles, nés des incessants changements et aléas de la vie économique.

De plus en plus, du fait de cette financiarisation-mondialisation, c'est la logique de l'intérêt des actionnaires qui a pris le dessus. La priorité à la fameuse « création de valeur » aboutit à nommer comme patrons, non plus des entrepreneurs, ingénieurs, créatifs ou développeurs, mais des gestionnaires de formation financière. Ceux-ci n'hésiteront pas à vendre une partie de l'entreprise ou à fermer un site moins rentable pour optimiser leur cours de bourse. Ce qui est moral et justifié pour les uns ne peut pas l'être en même temps pour les autres.

Mais si chacun a sa morale, que vaut la morale ?

Le fait que, de tout temps, la richesse puisse provoquer curiosité, envie, étonnement, indignation, scandale et condamnation semble ravivé, de nos jours, par des montants jugés obscènes dans leur démesure. Comment justifier que le patron d'une entreprise touche des millions, voire des dizaines de millions chaque année ? Il ne travaille pas plus d'heures que les autres et continuera, de surcroît, à toucher ses rémunérations malgré les revers de l'entreprise. Comment admettre qu'un footballeur perçoive plusieurs millions par mois et que son transfert d'un club à l'autre se paye en dizaines de millions, alors qu'un handballeur gagne dix fois moins ? Comment un gestionnaire de fonds spéculatifs peut-il toucher en une heure autant qu'une famille moyenne en vingt ans ?

Il y a une raison globale à cette escalade folle, précisément la globalisation. Chacun de nous, au quotidien, vit dans un cadre local ou national, mais les marchés des produits et de la finance sont mondiaux. Ce qui génère des masses d'argent qui n'ont plus rien de commun avec celles d'il y a encore une vingtaine d'années. Quand les profits se chiffrent en milliards, quand la trésorerie d'Apple fait jeu égal avec celle de l'État fédéral américain, quelques millions attribués à ceux qui sont chargés d'une part significative de ces profits ne comptent guère. Le monde de l'argent a changé d'échelle, du moins pour un petit nombre d'entre nous, les riches, ceux qui le sont déjà et ceux qui sont en train de le devenir. Le décalage entre ces derniers et l'énorme masse de ceux qui vivent avec des budgets serrés s'accroît vite et fort.

Non sans poser des problèmes, certes éthiques mais inévitablement politiques. Une grande partie de l'opinion d'un pays observe et juge la manière dont ses gouvernants se comportent à l'égard de la richesse grandissante. Comme chaque individu se sent impuissant face au phénomène, il a besoin de croire que les puissants qu'il élit n'y sont pas indifférents. D'où quelques rhétoriques politiques rituelles qui sont, ou non, suivies d'effets. Quelquefois, il peut suffire de prononcer certains mots. Chacun sait bien que, comme aimait à le rappeler Marshall McLuhan : « Quand tout aura été dit et fait, davantage aura été dit que fait. »

L'*ostentation comme faute de goût*

Mais c'est naturellement l'usage de la richesse par ses détenteurs qui suscite le plus de réactions morales. Si un milliardaire ne vous exploite pas directement, tout en vivant bien mieux que vous, mais sans ostentation, il est probable que vous vous en accommodiez aisément. Mais lorsque Bernard Tapie, récemment gratifié par un arbitrage discutable de centaines de millions d'euros, accumule tous les symboles du bling-bling (deux hôtels particuliers parisiens, une villa à Saint-Tropez, un jet privé, un yacht de 75 mètres), vous trouvez qu'une fois de plus Nanard est *too much* et manque de classe.

En revanche, si vous lisez que Warren Buffett roule dans une vieille voiture (crédible ou pas ?) et qu'il a accepté, comme Bill Gates, de donner la moitié de son immense fortune à une fondation humanitaire, vous verrez plutôt en lui un philanthrope. Or Buffett doit être deux cents fois plus riche que Tapie. Une fois de plus, la morale est subjective.

Les riches expérimentés, surtout s'ils le sont depuis plusieurs générations, inculquent à leurs enfants des principes simples : ne pas parler de son argent, ne pas le montrer ou alors seulement à l'occasion d'un usage généreux. Et, en général, vivre plutôt au milieu des riches, car en groupe ils se feront paradoxalement moins remarquer. La nuit de la Saint-Sylvestre, des voitures flambent en France, mais pas dans le XVIᵉ arron-

126

dissement de Paris. En revanche, si vous avez l'idée saugrenue d'aller faire votre marché à La Courneuve ou Clichy-sous-Bois en Ferrari, vous la retrouverez probablement rayée sur toute la longueur de la carrosserie.

Chez les riches, l'ostentation est une faute de goût. Une directrice de Chanel décrit la carte du monde selon la taille du logo de sa marque, sur ses produits. Sur des contrefaçons vendues à la sauvette sur les trottoirs, le mot CHANEL apparaît en caractères d'affiche. Dans les magasins Chanel des pays émergents, les ceintures où la marque entoure visiblement la taille se vendent facilement. Pas trop cher et bien visible, le premier degré d'accès à ce petit totem du luxe. Mais plus les objets ou vêtements montent en prix, plus la marque rapetisse. Quand on en arrive à la haute couture, elle n'apparaît plus que dans la doublure et bien sûr la joaillerie ne comporte aucune marque, sauf dans l'écrin.

Le don exonère aisément les riches. Ceux qui ont les moyens de pratiquer la philanthropie ou le mécénat savent bien l'utilité de cette sorte de dîme payée à l'opinion publique. L'achat des indulgences a de tout temps existé et continue sous des formes plus modernes. L'erreur de l'Église, du temps de Luther, avait été de les vendre elle-même, sans intermédiaires. Il y a bien des moyens de se faire pardonner sa richesse et ceux qui ont la pratique de l'exercice savent que ça ne leur coûte pas vraiment cher.

Il serait injuste de mettre toute générosité venant des privilégiés au compte d'une stratégie cynique d'exonération du ressentiment éventuel des modestes. Une fois fortune faite, l'esprit d'initiative et le sens de la solidarité de bien des possédants trouvent un nouvel élan dans des choix humanitaires. Les fondations privées se multiplient, quelquefois à partir de dotations modestes (on peut commencer avec quelques dizaines de milliers d'euros). Elles permettent à leurs initiateurs de satisfaire leur penchant pour l'action, mais au service d'objectifs plus nobles. L'*homo* n'est pas uniquement *economicus*, le riche non plus.

La liste des questions morales qui découlent de l'explosion de la richesse contemporaine serait inépuisable. Avant de s'en tenir aux quelques notions évoquées ici, et pour esquisser ce qui pourrait relever d'une morale citoyenne, que l'on trouve au croisement du civisme, de la politique et de la fiscalité. Un « Appel des 1 % » lancé en juin 2013 sur le site du *Monde* en formulait une version qui mérite d'être longuement citée. Les 1 % se décrivent comme « un groupe d'industriels, entrepreneurs, investisseurs, banquiers et économistes, acteurs de l'économie française ». Ils reconnaissent qu'ils font partie des plus privilégiés des Français. Extraits :

« Il importe de distinguer l'investissement créateur de valeur (outils de production, formations, etc.) de l'investissement prédateur de valeur (trading à haute fréquence, marchés locatifs, bulles sur les matières premières, etc.) et de favoriser le premier au détriment du second.

Toute richesse immobilisée pour en obtenir une rente (et non pas financer une production) ne crée pas de valeur, mais ne sert qu'à en prélever sur l'économie productive et devrait donc être découragée par les législateurs censés défendre les intérêts de la collectivité (ou alors, nous avons fait 1789 pour rien, car le système s'est reproduit)…

Nous sommes de droite, car nous voulons que les entrepreneurs aient plus de chances de succès et que les revenus du travail et du capital investis pour financer des activités productives ne soient plus taxés.

Mais nous sommes de gauche, car nous voulons la préservation de notre système social (dont on pourrait quand même améliorer la productivité…), la réduction des inégalités et la redistribution des richesses immobilisées.

Et nous sommes écologistes, car nous voulons que les gaspillages superflus soient le plus possible découragés par une taxation plus forte de tout ce qui pue, pollue ou nuira à l'environnement de nos enfants. »

On peut trouver naïve cette tentative de dépasser les clivages politiques sommaires qui continuent à formater les comportements des politiques et les commentaires des médias. On peut trouver irréalistes les mesures fiscales, sommairement décrites, qu'ils préconisent. Mais une rénovation indispensable de la pensée sur la gestion de la richesse nationale, celle qui regroupe toutes les autres, passera par ce genre de démarche indépendante. Car il n'y a rien à attendre, dans ce domaine, des partis ou de la puissance publique, crispés sur leurs contraintes électorales à court terme.

Une modernisation d'une réflexion morale sur la possession de l'argent et son meilleur usage personnel et collectif passera forcément par des démarches de ce genre. La morale ne se légitime que comme guide d'action.

7

Les riches ont gagné

es riches ont gagné, mais quels riches ? Tous ceux qui, dans un pays comme la France, gagnent 6 000 euros net par mois et plus ? (montant à partir duquel les Français, interrogés en 2013 par *Challenges*, situent la richesse). Ou ceux qui possèdent 1 million de patrimoine ? Ou les très riches (10 millions) ? Ou les hyper-riches, ce 0,1 % de la population qui nourrit à la fois les fantasmes des plus modestes, les tirages des magazines people et l'imagination fiscale des gouvernants à la recherche de symboles politiques d'équité ?

Même s'ils ne constituent pas une catégorie sociologique homogène, même s'ils ne vivent pas de la même manière et n'ont pas les mêmes priorités, ils ont en commun de ne pas connaître les pesanteurs et les difficultés matérielles auxquelles se mesurent au jour le jour 99 % des citoyens. Eux-mêmes et leurs enfants ont accès à ce qu'une société moderne offre de plus confortable, de plus divertissant, de plus succulent, de plus exotique, de plus esthétique ou de plus novateur. Ils sont mieux conseillés, mieux protégés, mieux soignés, mieux éduqués. C'est pour eux que semble avoir été formulée l'expression anglaise : « The best of everything ». Certes, cela ne les empêche pas de connaître les duretés de l'existence comme les dilemmes ou les conflits de tout mortel. Mais leur bulle est climatisée.

En majorité, ce ne sont pas des nantis paresseux ni des parasites de la modernité. La plupart agissent, produisent et s'efforcent de maintenir ou de développer leurs actifs. Beaucoup même se plaignent de consacrer tant de temps à ce qui les rend riches qu'ils n'en ont guère pour profiter du résultat de leurs efforts. Ils jouent plutôt, dans notre société, un rôle de modèle enviable que de repoussoir ou d'adversaire. C'est peut-être en cela qu'ils ont gagné, sans avoir mené de guerre ni suscité de révolte. Pourquoi un tel succès qui ne paraît ni précaire ni sérieusement contesté ? Pour des raisons conjoncturelles, politico-historiques et du fait aussi de leur propre comportement. Nous les avons abordés sous différents aspects au long de cet essai, mais il est temps de les résumer, comme un faisceau d'indices ou de preuves :

– Pour être riche il faut de l'argent, or celui-ci abonde comme jamais sur notre planète. On l'oublie souvent dans nos pays en crise, mais le développement mondial est rapide et global. La richesse naît plus facilement dans son sillage. Non seulement parce qu'il se crée, en permanence, de nouveaux produits ou services, mais du fait que le niveau de vie général augmente, de même que

132

le pouvoir d'achat des consommateurs de ces produits. Davantage, certes, dans les pays en progression forte que dans les nôtres. Mais les riches vendent et investissent partout, puisqu'ils ont les moyens d'être présents sur les marchés où la demande croît le plus vite.

Les riches n'ont pas de frontières.

– La richesse n'est pas une simple retombée du progrès économique. Elle fructifie aussi au croisement des deux valeurs clés de ce nouveau siècle : l'individualisme et le culte de l'argent. Les héros contemporains ne sont ni politiques, ni militaires, ni religieux, ni même savants. Ils sont sportifs, acteurs et artistes, entrepreneurs à succès.

Les héros sont bien payés et deviennent riches.

– Les patrimoines des riches s'accroissent plus vite que la misère ne diminue. Les taux de rendement des capitaux seront durablement, au cours de ce siècle, plus élevés que la croissance des PIB. De ce fait, l'héritage va reprendre de l'importance dans les décennies à venir, ce qui n'est jamais en faveur de la réduction des inégalités.

Qu'ils travaillent ou non, les riches s'enrichissent.

– La misère recule enfin dans le monde. Elle était dominante il y a encore un demi-siècle ; la croissance est rapidement en train de la marginaliser, laissant la place à une immense classe moyenne qui peuplera la planète ce siècle durant. Il en résulte une atmosphère plus propice à la richesse. Il semble plus légitime de prospérer si d'autres ne meurent pas de faim à proximité.

Le ressentiment à l'encontre de la richesse s'atténue.

– En même temps, la demande d'égalité, si rituelle dans le discours républicain, n'est plus politiquement prioritaire. Dans les continents en forte croissance, on insiste plutôt sur l'égalité des chances que sur celle des revenus. Sans grands résultats d'ailleurs. Dans les pays plus stagnants, la revendication sociale se porte sur le maintien des acquis plutôt que sur des progrès de niveau de vie, qui semblent bien hypothétiques sans vraie croissance.

La pression sociale est plus réaliste et souvent résignée.

– Il n'y a plus d'idéologies anti-riches, comme ce fut longtemps le cas entre la Révolution française et l'abolition du parti communiste russe en 1990. Il n'y a plus d'ennemis de classe, selon la formule léniniste. Les riches sont considérés par la gauche comme une force politique antagoniste et une cible encore privilégiée de contribuables. Mais ces derniers y sont habitués et ont appris à négocier en conséquence.

Politiquement, les riches sont devenus des acteurs sociaux puissants et non plus une classe honnie.

– Les riches sont militants et acteurs d'une idéologie, le libéralisme. Le fait qu'il s'agisse d'un système économique illustre notre époque, où l'essentiel du

134

jeu politique tourne autour du partage d'un gâteau qui se rétrécit. Le libéralisme est à la fois décrié et triomphant. Il déchaîne les polémiques, mais il n'a aucun adversaire frontal. Personne n'a, mondialement, de doctrine crédible à lui substituer. Les débats actuels se limitent aux moyens d'en atténuer les effets sociaux, quelquefois dévastateurs.

Les riches sont à l'aise avec l'idéologie dominante, la leur.

– Partout dans le monde, le seul adversaire des riches est la fiscalité. Il s'agit à la fois de les faire contribuer le plus possible aux dépenses publiques et de donner l'impression que les politiciens ne sont pas leurs amis ou complices. Cette guérilla, pour laquelle les riches sont bien armés, ne pourra obtenir de résultats significatifs que lorsqu'il y aura une véritable fiscalité mondiale. On en est loin. Les États s'efforcent de resserrer les mailles du filet en passant des accords d'échanges d'informations et de lutte contre les paradis fiscaux. Mais, avec 192 nations à la fiscalité autonome, les riches trouveront encore longtemps des havres financiers hospitaliers.

Les riches sont experts en stratégies fiscales planétaires.

– Les États de toutes tendances ferraillent avec les riches, mais n'ont pas les moyens de leur faire la guerre. Car leur premier casse-tête politique est le chômage. Or ce sont les riches qui créent les emplois. Le grave pour un responsable politique serait de déclencher une grève – pire, un exode – des employeurs. Il y a connivence de fait entre les gouvernements et les riches, qui ont mutuellement besoin les uns des autres.

On ne peut pas se passer des riches quand on est au pouvoir.

– Les riches sont amenés partout à se substituer à l'indigence budgétaire publique. Leur rôle financier est donc destiné à croître dans de nombreux secteurs d'activité : éducation, santé, recherche scientifique, aide humanitaire, philanthropie, mécénat artistique. Sans oublier que, de longue date, les entreprises que possèdent et dirigent les riches contribuent de façon décisive au financement des prestations sociales. Ce qui rend les riches coresponsables, avec la puissance publique, de la stabilité sociale du pays.

Les riches sont devenus un acteur public central.

– Les riches sont mieux à même de tirer parti de la modernité que les politiques. Ils sont mieux informés, mieux conseillés, plus libres et plus concentrés que les élus du peuple. Car ils n'ont qu'un seul objectif, produire de l'argent et le protéger. Ils n'ont pas d'électeurs, peuvent garder le secret sur leurs plans et leurs tactiques, et savent s'arranger entre eux.

En même temps, au service de cet objectif central, ils peuvent mettre des moyens considérables, qui souvent manquent aux États. À la différence de ces derniers, ils agissent transfrontières et ont des stratégies mondiales. Les entreprises multinationales, que certains d'entre eux gouvernent, sont plus puissantes économiquement que la plupart des pays représentés à l'ONU. Seules les plus grandes nations peuvent encore les tenir en respect mais pas sur tous les terrains.

Seuls les riches ont un pouvoir mondial.

– De ce fait, les riches n'ont plus de complexes et poussent leurs avantages sans prendre trop de précautions. La manière dont les banquiers et les financiers ont réduit à une peau de chagrin les mesures de régulation que les États voulaient prendre après la crise de 2008 l'illustre de façon éclatante. Les bonus les plus insolents sont repartis de plus belle dès 2009. Comme si les riches se sentaient libres de tirer un profit financier de tous les aléas économiques, laissant les politiques s'arranger avec les conséquences, en particulier sociales. Qu'a pesé un Montebourg face à un Mittal ?

Les riches ne prennent plus de gants pour affronter le pouvoir politique.

– Les riches tiennent les médias, directement ou indirectement. Soit parce qu'ils en sont propriétaires, soit parce que les médias ont un besoin vital de la publicité que les riches peuvent leur attribuer, ou leur refuser. Comme la presse est en position de faiblesse partout, elle est un peu à leur merci. Les journaux les plus prestigieux, au bord de la faillite, sont rachetés à la casse par des possédants. C'est ainsi que Jeff Bezos, qui a créé Amazon, a « sauvé », en 2013, le *Washington Post*. Même les médias les plus modernes ne peuvent vivre, à l'exception de quelques-uns, du *Canard enchaîné* à Médiapart, sans l'assentiment financier des puissants. Il n'y a que lorsqu'un riche est en difficulté que les médias se ruent à la curée. Ce qui donne à ces derniers une impression fugitive de puissance. D'autant qu'à ce moment-là les autres riches abandonnent l'animal à son triste sort. Car les riches ne sont pas tendres avec les plus faibles d'entre eux.

Le pouvoir d'informer est tombé très largement entre les mains des riches.

– Plus globalement, les riches contrôlent l'essentiel de l'argent sur la planète. Soit parce qu'ils en possèdent eux-mêmes (mais ce n'est qu'une petite partie de l'argent-pouvoir), soit parce qu'ils sont aux manettes du business mondial. Ceux, en effet, qui sont à la tête des entreprises ou des banques, non seulement sont nommés par eux, mais ils sont responsables devant ces jurys d'argent que sont les actionnaires, lesquels ont compris l'intérêt d'enrichir rapidement ceux qui travaillent pour eux. Ainsi s'assurent-ils qu'ils sont passés dans le clan des riches. De ce fait, la morale de l'argent, les buts de l'argent, les stratégies de l'argent pèsent de plus en plus sur le destin de nos contemporains. On n'en finit pas d'en mesurer l'ampleur des conséquences. À l'échelle de la planète, même le plus puissant des riches ne pèse pas bien lourd, mais la religion de l'argent, commune à presque tous les riches, domine le débat mondial dans les pays en paix, c'est-à-dire presque partout.

Les riches détiennent le pouvoir essentiel, celui de l'argent. Le reste suit.

– Certains riches ont pu réussir en politique, comme Michael Bloomberg ou Silvio Berlusconi, mais ce sont des exceptions. Car, d'instinct, les riches ont compris combien la détention publique du pouvoir est périlleuse et provisoire. Ils préfèrent l'infiltrer pour en obtenir ce qui leur est nécessaire. La vulnérabilité des politiciens face aux riches, c'est que la politique coûte cher et que la plupart des candidats à l'élection ne disposent pas de moyens personnels. Les scandales financiers qui émaillent la vie politique portent sur des sommes dérisoires comparées aux vraies fortunes. Quand un politique dissimule 600 000 euros, sa carrière est fichue. Quand un riche a fraudé sur 6 millions, il trouve discrètement un compromis financier avec l'administration.

Les riches laissent les détenteurs officiels du pouvoir prendre les risques. Ils se contentent de les influencer.

Ils savent que la richesse est plus pérenne que les mandats électifs.

Ainsi s'exerce le pouvoir des riches. Il est pacifique, car ils n'ont plus, comme ce fut le cas au cours de l'Histoire, besoin de déclencher des guerres ni de fomenter des coups d'État pour maximiser leur puissance. Un marché mondial sur lequel ils peuvent intervenir avec l'efficacité des technologies contemporaines leur suffit. Ils n'ont besoin ni de police, ni d'armée, ni de censure pour servir leurs intérêts.

Au contraire, opérer dans un monde ouvert, à l'expression libérée et où la loi est respectée, crée les conditions optimales de leur réussite. Les riches sont forcément modernes, sinon ils ne survivent pas longtemps dans un monde en accélération permanente.

Les riches se doivent d'être des mutants de leur époque, de la comprendre, la deviner avant les autres. Ceux qui y parviennent gagnent gros et, en plus, s'amusent à ce jeu en vraie grandeur et à sommes réelles.

Les riches ont gagné. Ils n'ont même plus besoin de s'en vanter. Ce monde actuel est devenu le leur, ils y sont chez eux.

Conclusion

Le Veau d'or seul en piste ?

Au fil des chapitres, vous avez pu vous demander quelle était la position personnelle de leur auteur : est-il de droite ou de gauche, est-il pro-riches ou anti-riches ? Comme s'il fallait nécessairement être pour ou contre. Lorsque je lis un essai ou une thèse, j'éprouve, moi aussi, le besoin d'en savoir plus sur celui qui s'exprime. Notre éducation, notre situation influencent forcément notre réflexion, nos convictions, donc nos écrits.

Je fais partie de ceux qui estiment que le lecteur est en droit, s'il en a la curiosité, de disposer de quelques éléments sur quiconque lui propose son interprétation d'un phénomène de société actuel. Un sujet comme riches et pauvres remue en chacun une sensibilité, des opinions, souvent des réflexes conditionnés. Voici donc quelques informations plus personnelles.

Je suis journaliste et essayiste et n'ai exercé que ce métier. Lequel consiste à rapporter et tenter d'expliquer les faits et leurs conséquences. Je sais que l'objectivité est un leurre, que tous nos jugements sont subjectifs, mais je crois à l'honnêteté et à la tolérance dans cet exercice. Les gens ne sont jamais tout noirs ou tout blancs et c'est précisément cela qui m'intéresse. Je ne me sens donc pas obligé de prendre position sur tout, avant d'avoir au préalable informé.

Je fais aussi partie des privilégiés de ce pays. Mon seul héritage, mais il fut décisif, est d'avoir eu accès aux bonnes écoles, au sein d'une famille unie et tolérante, où l'on parlait volontiers à table des affaires du monde et de l'avenir. Puis j'ai eu la chance d'avoir envie d'entreprendre dans un métier qui était alors en plein essor, la presse magazine. J'ai créé, relancé, cédé et racheté de nombreux titres, qui ont ainsi dégagé de la valeur. Ce qui m'a assuré confort, bien-être et sécurité matérielle pour moi-même et les miens. Ce faisant, j'ai créé chaque année des emplois, j'ai aussi affronté, quoique rarement, la nécessité de fermer un titre qui me semblait condamné au déficit, avec des licenciements à la clé. J'ai toujours été patron de presse et j'ai aimé le faire. L'industrie ou la finance m'auraient beaucoup ennuyé, j'ai donc eu la chance de gagner ma vie avec ce qui m'intéressait : comprendre mon époque. Depuis trente ans, j'écris des livres pour essayer d'y contribuer. Tout ce que j'ai pu ainsi construire est le résultat de mon seul travail.

Je vote à gauche, ce qui me semble un minimum pour un bénéficiaire du système. J'ai été tenté par la politique, par réflexe familial, mais je n'y suis pas allé, car j'avais compris qu'alors je perdrais ma liberté d'expression. Aujourd'hui, je n'ai pas une bonne opinion de la politique, que j'ai vue se réduire à un jeu électoral. La démocratie républicaine me semble être une machine vieillissante au rendement décevant. Mais quand j'observe ce qui se passe de par le monde, je mesure ma chance d'être citoyen européen, libre de ma parole et protégé par les lois. J'ai la hantise de l'arbitraire et de la violence. Si l'on me soupçonne de modération et de réformisme, je ne me défendrai pas.

Mon militantisme personnel est plus inspiré par la défense des droits humains, aujourd'hui mis en cause ou attaqués tout autour de la planète. J'occupe des fonctions de soutien et de responsabilité dans une ONG internationale (Human Rights Watch), qui se fixe de recueillir dans 90 pays des faits sur les atteintes aux droits fondamentaux, de les faire connaître et de les dénoncer. Une prolongation naturelle et de plus en plus nécessaire de mon métier de journaliste. Sur la défense des droits humains, j'avoue et j'affiche mon parti pris.

Mais assez parlé de moi : revenons aux riches et aux inégalités, deux phénomènes contemporains en croissance forte. En menant l'enquête nécessaire pour ce livre, j'ai pris la mesure de l'ampleur de ces mouvements et réalisé qu'ils semblaient échapper à ceux que nous avons élus pour en corriger les effets nocifs ou pervers. La richesse en soi ne me choque pas, mais je suis alarmé de constater qu'elle puisse tenir lieu d'idéal et de modèle à de jeunes esprits bien formés. Les plus doués préfèrent, de plus en plus, aller vers la finance lucrative plutôt que vers l'industrie productive ou vers des métiers d'intérêt général, plus inspirants mais moins rémunérateurs.

Un symptôme parmi d'autres de la prééminence, presque sans alternative, de la valeur argent, dans une société focalisée sur la technologie et la consommation. C'est elle qui inspire, aux deux extrêmes, les jeunes des quartiers et les grands banquiers internationaux. Les premiers y trouvent, souvent par des moyens illégaux, une raison de vivre dans des lieux qui n'en offrent guère, ou d'échapper à la pauvreté qui leur est promise par un chômage endémique. Les seconds, eux, semblent convaincus du caractère quasi sacré de leur fonction. « Je ne suis qu'un banquier faisant le travail de Dieu. » Cette phrase révélatrice et grotesque n'a pas été prononcée par un esprit dérangé, mais par le *primus inter pares* des financiers de Wall Street, Lloyd Blankfein, patron de Goldman Sachs, la banque emblématique de la « sécession des riches ».

Autre exemple, parmi des milliers d'autres : au cœur de l'été 2013, l'équipementier informatique Cisco annonce simultanément un bénéfice de 10 milliards de dollars, en hausse de 24 %, et 4 000 licenciements à travers le monde. Commentaire de John Chambers, son P-DG : « On dirige avec son esprit, pas avec son cœur. » Les grands prêtres du Veau d'or se doivent d'être implacables.

Pour les dealers des banlieues comme pour les oligarques du profit, la primauté de l'argent entraîne une vision dévoyée de la société actuelle.

Ce nouveau culte du Veau d'or dans son ampleur mondiale est advenu, en quelque sorte, par défaut. Que nous est-il, en effet, proposé aujourd'hui pour nous élargir l'esprit, nous relier et donner un sens plus noble à nos existences ? Les religions n'inspirent plus que leurs croyants et les droits humains sont bafoués sans que nos démocraties, qui se présentent comme exemplaires, réagissent autrement que par de molles remontrances.

Le scepticisme et le relativisme, que les Églises et les sectes combattent, sont pourtant l'équipement de survie des esprits libres, qui ne se laissent plus abuser. Mais ils ne sont qu'une prophylaxie, ne palliant pas la carence d'un idéal, plus inspirant qu'un doute méthodique. Même si c'est grâce à ce doute que nous avons réussi à nous débarrasser des fausses croyances et des idéologies trompeuses. Le vide qui en a résulté était nécessaire, mais nous ne parvenons désormais à le remplir qu'à titre individuel, en bricolant les convictions que nous nous choisissons.

C'est donc par défaut que la seule valeur universelle proposée par l'époque est celle de l'argent. Les riches et la richesse n'en sont que les retombées spectaculaires, en même temps, heureusement, que la réduction de la pauvreté à l'échelle mondiale. La recherche de l'argent et de la richesse a accompagné l'histoire humaine, pendant que des spiritualités ou des idéaux tentaient de lui faire contrepoids. Tout se passe comme si l'argent avait gagné par K-O, quand on constate qu'un ministre de l'Éducation se fait attaquer pour avoir osé proposer des cours de morale civique à l'école.

Il est rituel pour les candidats aux élections de promettre de cadrer la richesse et d'en corriger les excès, mais, une fois élus, ils n'y parviennent pas. De toute manière, ce n'est pas la loi qui pourra compenser, à elle seule, la souveraineté de l'argent. Or peut-on se résigner aux transformations sociales évoquées dans ce livre ? Peut-on continuer à observer les progrès du culte mondial de l'argent et de la puissance qu'il ne cesse de concentrer entre les mains de ceux qui le détiennent et savent le produire ?

Pendant les deux derniers siècles, ceux qui refusaient cette fatalité ont appelé à la révolution, ou au Grand Soir. Il en a résulté d'immenses désillusions et plusieurs tragédies sanglantes. Forts de cette expérience historique, il nous reste à reporter quelques espoirs sur des forces nées de la modernisation rapide de notre société et qui échappent aux schémas politiques traditionnels.

Au risque d'être taxé de naïveté et d'irréalisme, je suis persuadé que ce siècle devra accoucher de nouveaux idéaux civilisateurs et humanistes, sous peine de voir le cynisme financier et matérialiste dominant entraîner, au minimum une amertume sociale croissante, au pire de nouveaux conflits meurtriers.

Ces idéaux ne pourront être imposés par personne, mais peuvent naître d'un progrès collectif des esprits qui est déjà à l'œuvre. Je crois qu'un nombre croissant d'individus épris de paix et d'équité défendront ensemble des formes de solidarité, de coopération et de compassion, aptes à restaurer les liens humains et les dommages écologiques qui résultent de la cupidité érigée en vertu. Je ne crois pas qu'il s'agisse d'un vœu pieux, car après soixante-dix ans de paix mondiale, ces sentiments ont progressé. On est encore loin de les voir dominer les comportements, mais les progrès de notre espèce n'ont-ils pas toujours été chaotiques et plus lents qu'on ne le souhaiterait ?

Deux phénomènes en forte croissance tracent des voies prometteuses à cet égard : l'interconnexion de tous les citoyens par les réseaux sociaux et l'essor puissant des ONG. Les réseaux numériques ont forgé un instrument mondial, surtout utilisé pour véhiculer des messages personnels et beaucoup de trivialités. Mais l'usage qu'en font les extrémistes et les fondamentalistes montre qu'ils peuvent mobiliser les foules. Ils peuvent donc aussi le faire au service de forces constructives.

Les ONG, elles, se multiplient à travers le monde, en s'appuyant sur toutes les ressources de la communication et un réservoir réconfortant de bonnes volontés. On dénombre déjà 40 000 ONG internationales et une foule d'organisations nationales : 280 000 en Russie, 3 millions en Inde. Aux États-Unis, elles ont doublé depuis le début du siècle pour atteindre 1 million. En France, leur nombre exact n'est pas recensé, mais on sait qu'elles dépendent de l'État pour moins de 10 % de leurs budgets.

La plupart des ONG ont des buts sociaux et

philanthropiques : éducation, santé, écologie, aides humanitaires, réduction de la pauvreté. Elles annoncent le passage croissant des missions dévolues aux États entre les mains des citoyens. Ces derniers, déçus de la démocratie représentative, préfèrent agir ensemble. La force de leur dévouement collectif est le meilleur espoir actuel de résistance pacifique et efficace à un glissement vers une société oligarchique.

Je ne souhaite pas de mal aux riches, il est bon pour notre société qu'on puisse prospérer, en respectant des règles éthiques. Mais il est vital pour nous tous et nos enfants que des objectifs de vie plus élevés que l'argent soient proposés aux citoyens. Surtout aux plus jeunes, qui tournent en rond dans un matérialisme de consommation et de divertissements creux.

Les politiques se sont disqualifiés eux-mêmes pour ce rôle. Les religieux n'ont plus guère d'audience au-delà de leurs communautés ou Églises. Reste une présence croissante des philosophes, sages indépendants, militants encore animés d'idéaux, dont l'importance devrait croître. Leurs voix, leurs messages auront de plus en plus d'impact, car l'attente, même latente, est forte.

Il faut espérer que les médias, vecteurs indispensables, leur donneront une place grandissante. Les réseaux sociaux et l'information numérique seront un puissant moyen de répandre ces idées rénovatrices à bas bruit et de rassembler un nombre croissant de nos contemporains.

Je crois de plus en plus à la sagesse des foules, pour

deux raisons : les « foules » sont de plus en plus ins-
truites et avides de paix, en même temps qu'elles ont,
grâce au numérique, accès à une participation directe
aux débats essentiels. Les mentalités évoluent de plus
en plus rapidement et les messages se propagent sans
le secours des pouvoirs constitués ni des médias, sus-
ceptibles d'être achetés ou contrôlés. Il existe encore
bien des États autoritaires qui essaient d'enrayer ce
mouvement décisif, mais ils perdent graduellement la
partie.

Du fait de l'éducation et du rôle décisif des femmes,
les « foules » aspirent à des valeurs qui les réunissent
quels que soient les pays : humanisme, respect, liber-
tés individuelles, équité, écologie, non-violence. Les
médias sont pleins d'informations sur toutes les
exceptions possibles à ces tendances de fond, mais
cela ne changera pas la réalité de leur progrès.

Personne, ni les politiques ni les riches, n'aura la
force ni probablement la volonté d'enrayer ce mouvement global. Une société trop manifestement injuste
sera de moins en moins tolérée. Une valeur montante
résumera peut-être ces nouvelles aspirations collectives. Elle a un joli nom, presque désuet, un peu oublié
depuis la Révolution française qui l'avait portée aux
nues sans grands résultats. Peut-être aura-t-elle dû
attendre le xxIe siècle pour que son temps arrive : la
fraternité.

Sources

Toute la documentation sur laquelle s'est appuyée la réflexion dont ce livre est issu est rassemblée sur le site www.lesriches.fr, et classée par thématiques et mots clés. Elle comprend de nombreux ouvrages d'économie et coupures de presse, ainsi que plusieurs vidéos et documentaires.

Bibliographie

Florence Aubenas, *Le Quai de Ouistreham*, Éditions de l'Olivier, 2010, 269 p.

François Bourguignon, *La Mondialisation de l'inégalité*, Le Seuil, coll. « La République des idées », 2012, 103 p.

Daniel Cohen, *Homo economicus, prophète (égaré) des temps nouveaux*, Albin Michel, 2012, 280 p.

Jean-Philippe Delsol, Nicolas Lecaussin, *À quoi servent les riches ?*, Éd. Jean-Claude Lattès, 2012, 240 p.

Esther Duflo, Abhijit V. Banerjee, *Repenser la pauvreté*, Le Seuil, 2012, 430 p.

Nicolas Duvoux, *Le Nouvel Âge de la solidarité*, Le Seuil, coll. « La République des idées », 2011, 180 p.

Robert Frank, *Richistan. A Journey Through the American Wealth Boom and the Lives of the New Rich*, Crown Publ., 2007, 300 p.

Chrystia Freeland, *Plutocrats. The Rise of the New Global Superrich and the Fall of Everyone Else*, Allen Lane, 2012, 340 p.

Philippe Godard, *Une poignée de riches, des milliards de pauvres*, Syros, 2012, 170 p.

Martin Hirsch, *Cela devient cher d'être pauvre*, Stock, 2013, 180 p.

Jean-François Laé, Numa Murard, *Deux générations dans la débine*, Bayard, 2012, 430 p.

Hervé Le Bras, Emmanuel Todd, *Le Mystère français*, Le Seuil, 2013, 321 p.

Aymeric Mantoux, *Voyage au pays des ultra-riches*, Flammarion, 2010, 300 p.

Éric Maurin, *La Peur du déclassement*, Le Seuil, coll. « La République des idées », 2009, 100 p.

Pascal Morand, *Les Religions et le Luxe*, IFM / Regard, 2012, 250 p.

Thierry Pech, *Le Temps des riches. Anatomie d'une sécession*, Le Seuil, 2011, 180 p.

Thomas Piketty, *Le Capital au xxie siècle*, Le Seuil, 2013, 976 p.

Michel Pinçon et Monique Pinçon-Charlot, *La Violence des riches*, Zones, 2013, 252 p.

Pierre Rosanvallon, La Société des égaux, Le Seuil, 2011, 428 p.

Jean-Jacques Rousseau, Discours sur l'origine et les fondements de l'inégalité parmi les hommes, Flammarion, 2012, 302 p.

World Wealth Report 2013, Capgemini et RBC Wealth Management.

Presse

Financial Times, Le Monde, Le Figaro, Libération, Les Échos, The New York Times, The Atlantic, Challenges, L'Expansion, L'Express, Le Nouvel Observateur, The Economist, Alternatives économiques, Enjeux-Les Échos.

Sites internet

Slate : www.slate.fr

INSEE : www.insee.fr

La Vie des idées : www.laviedesidees.fr

Observatoire national de la pauvreté et de l'exclusion sociale (ONPES) : www.onpes.gouv.fr

Observatoire des inégalités : www.inegalites.fr

Paris School of Economics : www.parisschoolofeconomics.eu

Poverty Action Lab (Esther Duflo) : www.povertyactionlab.org

PressEurop : www.presseurop.eu

Blog de Richard Frank (« Richistan ») : www.talkingbiznews. com/1/cnbc-hires-frank-from-wsj (anciennement blogs. wsj.com/wealth)

Telos : www.telos-eu.com

Filmographie

Le Capital (Costa-Gavras, 2012)

Debtocracy (Aris Chatzistefanou, Katerina Kitidi, 2011)

Inside Job (Charles Ferguson, 2010)

La Firme (Sydney Pollack, 1993)

Margin Call (J. C. Chandor, 2011)

The Last Days of Lehman Brothers (Michael Samuels, 2009)

Too big to fail (Curtis Hanson, 2011)

Wall Street (Oliver Stone, 1987).

Composition : IGS-CP
Impression CPI Bussière en décembre 2013
à Saint-Amand-Montrond (Cher)
Éditions Albin Michel
22, rue Huyghens, 75014 Paris
www.albin-michel.fr

ISBN : 978-2-226-25470-2
N° d'édition : 21122/01. – N° d'impression : 2006202.
Dépôt légal : janvier 2014.
Imprimé en France.